Екатерина Вильмонт

Екатерина Вильмонт

Дама из сугроба

Издательство АСT
Москва

УДК 821.161.1-31
ББК 84(2Рос=Рус)6-44
   В46

Вильмонт Екатерина Николаевна.

В46   Дама из сугроба / Екатерина Вильмонт. —
Москва: Издательство АСТ, 2018. — 320 с.

ISBN 978-5-17-107644-3 (С.: Романы Екатерины Вильмонт)
В оформлении используется картина Чайльда Гассама
«Lady in Pink», 1890 г.
Дизайнер — Екатерина Ферез

ISBN 978-5-17-107645-0 (С.: Бестселлеры Екатерины Вильмонт)
Дизайнер — Иван Кузнецов
Фото автора — Александр Горчаков

Разве можно поверить, что случайно услышанный обрывок телефонного разговора в парижском кафе может стать поворотным пунктом в судьбе Тимура и еще больше запутает его и без того непростую и очень неоднозначную жизнь? Но в результате вынудит его многое пересмотреть и вернуться к истокам...

УДК 821.161.1-31
ББК 84(2Рос=Рус)6-44

Часть

1

Раздражало все! И какого черта я опять приперся в Париж? Глупая инерция. Что я рассчитывал тут найти? Просто Париж? Так это уже и не совсем Париж, скорее какой-то ближневосточный город с очертаниями Парижа. И этот тесный до изумления номер в казалось бы приличном отеле, эти завтраки, после которых ищешь, где бы перекусить... Но раз уж прилетел, надо отбыть повинность. Да, предрождественское убранство города скрашивает то, что кажется тут абсолютно чужеродным. А может, я просто постарел, может, дело не в Париже и мигрантах, а во мне? Да, возможно...

Много лет назад он тоже прилетел на Рождество в Париж, и тоже был взнервлен донельзя. И вдруг в витрине лавочки на Монмартре увидел картину, так, маленькую картинку, абсолютно реалистичную, зимний пейзаж. Она и называлась «Зимний пейзаж со снегирем». Собственно, ничего особенного в этом пейзаже не было. Просто куст калины в заснеженном саду, красные ягоды, замерзшие на ветвях, и снегирь, клюющий эти ягоды. Сердце тогда так странно забилось... Это была картинка его детства. В саду родительского дома тоже было два куста калины, и там нередко появлялись снегири.

— Тима! — кричала мама. — Иди скорее, посмотри, какая красота!

И они вдвоем любовались этими дивными птицами. Он вошел тогда в лавку и буквально за гроши купил картинку.

— Кто автор? — спросил он у хозяина.

— Не знаю. Она подписана всего одной буквой А. Какой-то мужчина принес ее на продажу, но никто не покупал. А мне она нравится. Я, знаете ли, родом из России, мне она навевает какие-то воспоминания о том... чего не было... — грустно улыбнулся продавец.

С тех пор картина всегда висит в его квартире, и когда ему плохо, он смотри на этого снегиря, и становится легче. Мамы давно нет на свете. А отец живехонек... Ему уже много лет, за семьдесят, но отношения порваны. Отец когда-то ушел от мамы, и Тимур не мог ему этого простить тогда, тем более, что мама вскоре умерла. Она была настоящей восточной женщиной, в ее жилах текла горячая армянская кровь. И выросла она в армянской семье в Тбилиси, и менталитет у нее был соответствующий. На похоронах матери, куда отец все-таки пришел, Тимур сказал ему, что знать его не хочет. А через полгода он бросил все и уехал в Америку. Жизнь и молодой авантюризм швыряли его по разным странам, но прожив за океаном пять лет, он вдруг решил на Рождество полететь в Париж. Он тогда выиграл сумасшедшие деньги в казино, мог позволить себе в Париже многое, и позволил, и то Рождество было таким романтичным и прекрасным, что с тех пор он каждый год летал в Париж. Ну все, хватит, эта тема себя исчерпала!

Он замерз и зашел в первое попавшееся кафе. Заказал кофе и коньяк. Взгляд его упал на юную парочку. Они сидели вдвоем, смотрели только друг на друга сумасшедшими влюбленными глазами. Парнишке от силы лет двадцать, девочке и того меньше. Красивые, счастливые... малыши. Дай Бог счастья им. И пусть эта девочка не окажется такой же дешевкой, какой оказалась Зойка, его первая любовь... Мальчик взял руку девочки, прижал к своей щеке... Надо надеяться, девочка не сочтет это сексуальным домогательством. Нынче это модно. У парня зазвонил телефон.

— Алло, мама! — по-русски воскликнул он. — Все чудесно, нет, что ты, нисколько не жалеем, да, мамочка, не волнуйся. Вика шлет тебе привет! Ладно, позвоню! Целую, мамочка.

У парнишки есть заботливая русская мама. А может и любящий папа, и у них, похоже, мир в семье...

И вдруг отчетливо в голове прозвучало: идиот, что ты строишь из себя обиженного в твои сорок четыре? У тебя есть отец, старый человек, и ты ведь не простишь себе, если он скоро умрет. Так нельзя! Надо, надо примириться или хотя бы попытаться это сделать! Он, конечно, не менее упертый, чем я, но... Да, надо попытаться! Бред какой-то! Вся моя жизнь — это бред... А с чем я заявлюсь к отцу? Чем могу похвастаться? Своим магазинчиком, торгующим моделями машинок в центре Нью-Йорка? Впрочем, у меня не один такой магазинчик, а четыре, в разных городах Америки, вполне успешный бизнес... Но вряд ли в глазах отца, ученого с мировым именем, это хоть что-то значит... В игрушки играешь на пятом десятке — наверняка скажет он. Всю жизнь во что-то играешь... Не об этом для тебя мечтала мама! И что тут скажешь? Впрочем, я могу ему ответить, что не о такой семейной жизни она мечтала. Будем квиты. И что? Ничего. Ни-че-го! Так может и пытаться не стоит?

Нет, все-таки стоит. В конце концов, он мой отец... А впрочем, может, я совершенно не нужен ему? А вдруг нужен? Может, не я, а какая-то помощь, какие-то лекарства из Америки? Кто знает?

Он вытащил из кармана телефон. Позвоню сейчас же, а то могу и передумать. Вероятно, надо бы звонить на мобильный, но я не знаю его номера. Сегодня суббота, позвоню на дачу, он любил на выходные ездить на дачу, а возможно, он уже на пенсии и постоянно живет на даче. Трубку долго не брали, потом ответил женский голос:

— Алло! Алло! Говорите!

Ага, судя по фрикативному «г» это домработница, скорее всего с Украины.

— Алло, вы меня слышите?

— Слышу! Вам кого?

— Сергея Сергеевича можно?

— Можно, чего ж нельзя-то? Сергей Сергеич, вас!

— Я слушаю, — раздался в трубке голос отца. Он совсем не изменился.

У Тимура пересохло в горле.

— Алло, папа?

— Тимур? Ты? — голос отца вдруг охрип. — Тимка, ты?

— Да, папа, я.

— Ну наконец-то! Поумнел к сорока четырем? А я уж думал, только к сорока пяти... — засмеялся отец. — Ну, где ты, блудный и, видимо, блудливый сын? Где тебя носит? Приезжай! Хочу тебя видеть, скотина ты этакая...

У Тимура комок застрял в горле. Сладостное облегчение снизошло на него.

— Папа, как ты? Да, я приеду, прямо завтра... Если, конечно, достану билет...

— А ты где сейчас?

— В Париже, но я... я хочу в Москву! И на дачу!

— Немедленно заказывай билет! И сразу сообщи, когда прилетаешь, я встречу тебя!

— Зачем? Не стоит, я возьму такси и приеду на дачу!

— Нет, я тебя встречу. Скажи, а у меня... есть внуки?

— Чего нет, того нет, и снохи тоже нет.

— Ладно, поговорим об этом. Знаешь, у меня теперь есть камин. Ну все, заказывай билет! Жду тебя, сын!

Господи, все оказалось так просто! Камень с души. И голос отца звучит по-прежнему молодо...

— Леша, почему нам надо возвращаться? Рождество ведь!

— Но я же говорил — двадцать восьмого у мамы день рождения, я не могу не приехать. И потом — мы здесь уже неделю.

— Ну давай останемся на Новый год! Новый год в Париже — это круто! Ну Лешенька, ну пожалуйста... Павел ведь нас не гонит. Поменяем билеты и... А маме позвонишь. Она у тебя хорошая, поймет.

— Об этом не может быть и речи! Впрочем, если ты настаиваешь, оставайся.

— Одна? Без тебя?

— Ну да. Я, кажется, предупреждал... и билеты заказывал при тебе.

— Но я же не думала... что все так... так клево... так круто...

— Я же сказал, оставайся! Денег я тебе оставлю, — очень сухо произнес Алексей.

— Лешенька, ты золото! А ты не обидишься?

— Тебя это беспокоит?

— Ну, Лешка, не придирайся... Я первый раз в Париже... И Паша предлагает остаться...

— Хорошо. Оставайся! А я завтра лечу!

— Но мне же надо будет поменять билет.

— Меняй, в чем проблема? Скину на твой телефон все данные. Вперед!

— Ну вот, ты обиделся... неужели так сложно понять?

— Да все я понял!

— Ты, значит, маменькин сынок?

— Выходит так!

Как ни странно, билет нашелся. Кто-то отказался лететь! Неужели завтра я увижу отца? Все дурацкие обиды, недоразумения канули в Лету. Осталась только благодарность отцу за ту радость, которую он, похоже, испытал от моего звонка и даже, пожалуй, нежность... Надо купить отцу какой-то хороший подарок. Но что это может быть? Покупать какие-то вещи... Я даже не знаю, как он сейчас выглядит... Однако я помню, как он любит хороший сыр! Решено! И Тимур отправился в соответствующий магазин и купил несколько разных сортов сыра, попросив продавщицу упаковать их так, чтобы в самолете не распугать пассажиров запахом. В результате получилась внушительная коробка, впрочем, вполне элегантного вида.

Ночь перед отлетом Тимур почти не спал, волновался.

В дьюти-фри он купил отцу еще флакон нового модного одеколона. Кроме того, в чемодане, тщательно упакованная, лежала бутылка коллекционного коньяка.

Уже перед самой посадкой в самолет Тимур вдруг заметил того паренька, который так сиял рядом со своей девушкой и которому звонила русская мама. Но сейчас парень был хмур, а девушки не было видно. Поссорились? Впрочем, может быть, девушка была парижанкой, хоть и российского разлива?

Но в самолете они оказались соседями. Значит, девчонка должна была лететь на моем месте? Мне повезло, что она отказалась, а вот парнишке...

— Ой, извините, — на хорошем английском обратился к нему паренек, — я не мог видеть вас вчера в кафе на площади Согласия?

— Совершенно верно, молодой человек, — по-русски ответил Тимур. — Я вас тоже приметил, и если я прав, я занимаю место, предназначавшееся вашей очаровательной спутнице?

— Точно!

— Значит, мне повезло.

— Знаете, мне, видимо, тоже, — грустно улыбнулся парень.

Ему понравился этот мужик с красивым и умным лицом, который, к тому же, кажется, все про него понял.

— Как вас зовут, юноша?

— Алексей, можно Леша.

— А я Тимур.

— А по батюшке? — уточнил Алексей.

— Можно просто Тимур. Я давно живу на Западе и отвык от отчества.

— Ну, если на Западе... А то моя мама всегда внушает мне, что в России к старшим надо обращаться по имени-отчеству.

— Ну, в принципе, это правильно. Тогда я Тимур Сергеевич.

— Очень приятно.

— Простите мое любопытство, Леша, почему ваша девушка не летит с вами? Она парижанка?

— Нет, москвичка, но ей так понравилось в Париже... А я не мог остаться, у моей мамы послезавтра день рождения.

— И она назвала вас маменькиным сынком?

— Откуда вы знаете?

— А со мной была приблизительно такая же история, — рассмеялся Тимур. — И должен вам сказать, я потом никогда об этом не жалел.

— Думаю, и я не стану жалеть.

— Знаете, я когда увидел вас там, в кафе, подумал: какая прелестная пара, как они счастливы, и дай Бог этому парню, чтобы его девушка не оказалась такой же дешевкой, как моя первая любовь.

— Вы сказали дешевкой? Надо же, очень точное определение, просто в моем лексиконе как-то не было этого слова. Супер! Именно дешевка! Это точно... Дешевка...

— Вы студент? — решил сменить тему Тимур. Ему очень нравился Алексей.

— Уже дипломник. Я будущий астрофизик.

— О!

— А вы?

— Мне сложно ответить на этот вопрос, но все же попытаюсь. У меня небольшой бизнес в Америке.

— А вы давно не были в Москве?

— Восемнадцать лет.

— Ого! Вы город просто не узнаете.

— Да, я наслышан... И в Интернете многое видел.

— У вас в Москве есть родственники?

— Отец.

— Вы давно не виделись?

— Восемнадцать лет, — с горечью проговорил Тимур.

— Извините.

— Ну а у вас в Москве...

— Мама, друзья и вообще... вся жизнь, — улыбнулся Алексей.

— Вы славный малый, Леша! — улыбнулся Тимур. — И очень любите вашу маму.

— Да, очень. Но я вовсе не маменькин сынок. Мама сама мне внушила, что я ничем, собственно, ей не обязан, и вполне могу распоряжаться своей жизнью. Мама у меня еще молодая, красивая, у нее тоже своя жизнь... Но нам хорошо вместе, весело. Но жить друг другу мы не мешаем. Мне в сентябре исполнился двадцать один год, так мама решила отдать мне нашу квартиру, а сама переехала за город. Построила дом... и сказала, что ей лучше за городом. Вообще-то да, мама художница. Она там оборудовала себе мастерскую... Ей там лучше...

— Юноша, вы везунчик! — улыбнулся Тимур. Ему страшно нравился этот парень. У меня мог бы быть такой сын... не без грусти подумал он. А ведь у парнишки явно нет отца, мать растила его одна. Молодец, хорошего человека воспитала!

Разговор как-то иссяк. Алексей достал смартфон и углубился в него.

Но через некоторое время он сказал с улыбкой:

— А вот моя мама и мои... батьки́!

— Батьки́? — удивился Тимур.

Он увидел фотографию женщины и трех мужчин. Они стояли рядком, положив руки друг другу на плечи, и весело смеялись. Женщина была красива, да и мужики тоже выглядели хоть куда.

— Это мама и ее друзья. Мой отец погиб, когда мне было два года, и я его совсем не помню, а они мне его заменили... Ну то есть... помогали маме меня растить, чтобы я вырос... мужиком... И вроде получилось... — смущенно улыбнулся Алексей. — По крайней мере, надеюсь...

— А мама больше замуж не вышла?

— Нет! Мама в высшей степени независимая особа. Она вообще-то по образованию юрист, работала в одной крепкой фирме, а в один прекрасный день бросила все и занялась живописью. И у нее получилось. Сейчас она модный портретист, ей нередко заказывают портреты очень богатые и влиятельные люди. Знаете, Тимур Сергеевич, я здорово горжусь своей мамой!

— Вы молодец, Леша, и ваша мама тоже, должно быть, гордится вами.

— Еще как!

И чего это я вдруг разоткровенничался с совершенно чужим дядькой? — подумал вдруг Алексей. Глупо как-то... Но он почему-то внушает доверие...

Но тут им подали обед и разговор прервался. А после обеда Тимур задремал.

Чем ближе самолет подлетал к Москве, тем сильнее он волновался. Неужто отец и впрямь приедет его встречать? И как это будет? Первый момент встречи всегда так важен... Ему ужасно не хотелось сейчас с кем-то разговаривать, и Алексей, по-видимому, это понимал. Он что-то читал в смартфоне.

Но вот объявили, что самолет идет на посадку. У Тимура заложило уши. Он то и дело поглядывал на часы. Пятнадцать минут до посадки, десять, пять, четыре... И вот тяжелая машина покатила по посадочной полосе. Люди зааплодировали. Алексей включил телефон.

— Алло, мамочка, мы приземлились. Не волнуйся! Я завтра утром приеду! Пока, мама!

Но Тимур уже ничего не слышал. Он встал, вытащил сумку из багажного отделения, кивнул на прощание Алексею и протиснулся вперед всего на два шага, так как народ уже в нетерпении толпился в проходе, хотя из самолета пока не выпускали. Но вот, наконец, очередь начала медленно рассасываться. Он прошел по рукаву и вместе с другими пассажирами двинулся к зоне паспортного контроля. Народу было не так много. Тимур оказался третьим в очереди. Суровый молодой пограничник взял документы, сверился с фотографией, поставил какую-то печать и вернул документы Тимуру. Так как багаж он не сдавал, то сразу направился к зеленому коридору. Никто его не остановил. Сердце бешено колотилось. Он вышел в зал прилетов. Огляделся.

— Тимка!

— Папа! Ты приехал все-таки!

Они обнялись. Отец похлопал его по плечу.

— Тимка, дай я на тебя посмотрю! Ишь, какой стал... красавец! На маму похож...

— Папа, а ты прекрасно выглядишь, как будто и не постарел...

— А ты...

— Что? Постарел? — улыбнулся Тимур.

— Нет. Возмужал. Я страшно рад... Ты такой молодец, что позвонил... И приехал. Ну все, пошли. Это весь твой багаж?

— Я не люблю ездить с большим багажом. Лишняя морока. Если б я получал багаж, мы бы еще не встретились. Иногда багаж вообще теряется, ну его...

— Пошли, пошли, тут еще до стоянки идти и идти.

— Ты за рулем, папа?

— Да, пока еще есть силы.

Они довольно долго шли к стоянке. Отец шел бодрой молодой походкой. Молодец! А сколько же ему? Семьдесят четыре... Здорово! Интересно, какая у него машина? Оказалось, тойота-кроссовер. Тимур закинул сумку на заднее сиденье и сел рядом с отцом. Пока выезжали с территории аэропорта, отец молчал. А потом вдруг спросил:

— Ну что, Тимка? Как ты? Что ты? Где? С кем? Все рассказывай! Я хочу все знать о тебе.

— Вот так, сходу, все? — засмеялся Тимур. — Ладно, по пунктам. Я — хорошо. У меня небольшой бизнес в Америке, вполне успешный, я в миллиардеры не стремлюсь. Живу в Нью-Йорке. Один. Семьей не обзавелся, но мне так лучше. Раньше вел... как бы это сказать... несколько необычный образ жизни, но устал, постарел и на заработанные деньги открыл свой маленький бизнес.

— В чем он заключается, твой маленький бизнес?

— У меня... четыре специализированных магазина в четырех городах, в Нью-Йорке, в Лос-Анджелесе, в Чикаго и в Лас-Вегасе.

— Вон даже как? И на чем же специализируются твои магазины? Чем торгуют?

— Машинками.

— Какими машинками?

— Моделями машин, самыми разными.

— Игрушками, что ли?

— Можно и так сказать, — пожал плечами Тимур.

— Обалдеть! И это приносит прибыль?

— Да, и неплохую.

— Что ж, каждый торгует, чем может, кто-то умом и талантом, а кто-то машинками...

— Ну, чтобы иметь четыре таких магазина в Америке без ума и таланта тоже не обойтись.

— Ладно, не обижайся на старика. А вот скажи-ка мне, что означает «несколько необычный образ жизни»?

— Я играл.

— Играл? На чем?

— Ну, скорее не на чем, а во что. В основном в покер. Профессионально.

— Что это значит? Ты... шулер?

— О нет! Я был профессиональным игроком. Ты же знаешь, у меня математический склад ума, я... Ко мне однажды в одном казино, где я частенько играл, подошел хозяин и пригласил на разговор. Он сказал, что мою игру отслеживают несколько специалистов, и они обнаружили, что моя игра на сотую долю процента отличается от компьютерной, и он готов заплатить мне кругленькую сумму, чтобы я не играл больше в его казино.

— А ты что?

— Я согласился. Ведь я заработал эти деньги своим умом и талантом.

— Ты обиделся, чудак. Но ты сказал, что это в прошлом?

— Да. Я устал. Это же требует огромного напряжения, хотя и доставляет удовольствие тоже огромное. Но однажды в Монте-Карло я встретил своего кумира в этой области. Это был конченый человек... Он все спустил, спился, и его уже не пускали в приличные заведения. И я вдруг подумал — хватит, Тимур, надо что-то менять в жизни. У меня были кое-какие деньги, и я купил магазин машинок в Лас-Вегасе, где я тогда и жил. Я там многое переустроил, и дело пошло... Вот как-то так, папа.

— И ты больше не играешь?

— Нет. Завязал. Хотя иногда тянет...

— А я слыхал, что люди играют в Интернете.

— Мне это неинтересно. Ну а ты, папа?

— Я еще работаю. Это держит меня в тонусе. У меня своя лаборатория, я преподаю.

— Я знаю, что ты овдовел.

— Увы.

— И больше не женился?

— О нет, с меня хватит, да и стар я уже. Ну а ты почему один?

— Женатый профессиональный игрок — это нонсенс, — усмехнулся Тимур. — Да и охоты нет.

— Ну какая-то постоянная дама-то есть?

— Сейчас нет.

— Ладно, как бы там ни было, главное, что ты позвонил и приехал. А кстати, почему ты вдруг решился? И что ты делал в Париже?

— Я уже много лет на Рождество летаю в Париж. Мне казалось, это красиво... На Рождество в Париж...

Отец хмыкнул.

— А тут позавчера в одном кафе увидел парочку из России, мальчик и девочка, красивые, веселые. И вдруг мальчику позвонила мама. И он так хорошо с нею говорил... И меня вдруг стукнуло... Вот как-то так... Хотя, должен признаться, что в последний год часто думал о тебе, но решиться не мог. Мне казалось, ты спросишь меня, чего я в жизни добился, а на твоих весах мои достижения окажутся ничего не весящими. И вдруг... Я позвонил и все...

— Ты сохранил гражданство?

— Да.

— Молодец.

— А куда мы едем?

— На дачу. Я теперь в основном живу там. У меня домработница, чудесная женщина с Украины, Авдотья Семеновна. Так готовит, пальчики оближешь. Знаешь, мне моя нынешняя жизнь нравится, доставляет удовольствие. А ты... ты хочешь повидаться с кем-то из прошлого?

— Не думал пока. А что?

— Да ничего. Просто спросил.

— Скажи, папа, ты говорил кому-нибудь о моем приезде?

— Нет. Никому, кроме Авдотьи Семеновны.

— Слушай, пап, а Москву и впрямь не узнать! — воскликнул Тимур. — Столько света... И как красиво все украшено к Рождеству! Не хуже, чем в Париже... Я видел в Интернете, но воочию... впечатляет! Хочется прогуляться по улицам.

— Прогуляешься, успеешь еще! Я специально повез тебя через центр, чтобы ты посмотрел... И сейчас мы с тобой пообедаем в хорошем ресторане, ты небось голодный, а потом уж на дачу.

— Может, не стоит?

— Стоит, стоит! Я заказал столик в ресторане с парковкой. Это знаменитый «Пушкин», может слыхал?

— Да нет, кажется, не слыхал.

— Отличное заведение, а главное, с парковкой, сейчас в Москве это очень важно.

Сергей Сергеевич отдал ключи от машины парковщику, и они вошли в ресторан. Их провели к столику у окна, выходящего на Тверской бульвар. И тут же молодой человек в длинном белом фартуке принес меню, назвался Антоном и предложил напитки на выбор.

— Выпьешь что-нибудь? — спросил отец.

— Нет. Один не буду. Кстати, я привез тебе хороший коньяк и набор французских сыров.

— Ох, спасибо! Вот вечером сяду у камина... Что будешь заказывать?

— Даже не знаю...

— Хочешь кислые щи?

— Кислые щи? Пожалуй. Сто лет не ел.

— А у вас же полно русских ресторанов.

— Я там не бываю. Не люблю. О, возьму бефстроганов.

— Правильный выбор, здесь его отлично готовят! Господи, Тимка, как же я рад! Ты такой стал красавец, лучше, чем был в молодости. Дамы небось за тобой табунами бегают. Впрочем, они и раньше за тобой бегали.

— А я от них.

— Ради бога, не пугай меня!

— Нет-нет, папа, — рассмеялся Тимур, — со мной все нормально, я придерживаюсь традиционной ориентации, просто игра была мне всегда интереснее женщин, поэтому романы случались, но ничего серьезного.

— А как же такая старомодная штука как любовь?

— А она существует, эта старомодная штука? — улыбнулся Тимур.

— О да, мой мальчик, существует. Просто ты ее еще не встретил. Погоди, тебя еще так припечет...

— Ох, не дай Бог! Папа, скажи, ты не знаешь, Венька... он в России? Жив?

— Венька? Лебедев?

— Ну да.

— Живехонек! А ты не искал его в соцсетях?

— Боже, папа! Я такой чепухой не занимаюсь. Я вообще люблю живую жизнь, а не виртуальную. Так что с Венькой?

— Насколько мне известно, у него какой-то серьезный бизнес. Нет, я что-то путаю. Он, кажется, режиссер, или что-то в этом роде.

— Да, он всегда был помешан на кино.

— Ты хотел бы его повидать?

— Пожалуй, да. Хороший парень. По крайней мере, был... Я потом посмотрю в Интернете.

— Да, правильно. А вот Леночка твоя... Она умерла.

— Я знаю. У нее всегда было больное сердце, но она никогда не была «моей Леночкой», мы просто дружили.

— А мне казалось...

— Тебе казалось, папа. Черт, как приятно произносить слово «папа»...

— Тимка!

— И слышать это «Тимка»!

Им подали щи в горшочках, покрытых румяным воздушным тестом.

— Не прикажете снять крышечку? — любезно осведомился официант.

— Нет, спасибо, мы сами! — ответил отец.

Он аккуратно подхватил ножом тесто и положил на тарелку, отщипнув кусочек.

— Отлично! Первую ложку за тебя, сын!

Тимур со смехом последовал его примеру.

— Ох вкусно! Хотя, конечно, требует водки.

— Так закажи!

— Не надо, и так хорошо! Нет, просто прекрасно! Если бы еще вчера утром мне сказали, что завтра я буду в Москве есть кислые щи вместе с отцом, я бы рассмеялся... Но как я рад... Так это славно...

— И я был прав, привезя тебя сюда. Наша первая трапеза проходит спокойно, с глазу на глаз... Да?

— О да! Как будто рушатся все барьеры, все обиды и предубеждения... Спасибо, папа!

Его голос предательски дрогнул. Отец накрыл его руку своей.

— Все! Нет никаких обид, никаких предубеждений, есть просто два, как говорят поляки, гоноровых дурака. Мы оба были хороши... Черт знает что! А ты молодец, Тимка, сохранил отличный русский язык. А то тут недавно был один мой ученик, он много лет живет в Канаде, у меня от его русского уши завяли. Хотя сейчас у нас тоже порой говорят на таком ужасном языке... Иной раз просто оторопь берет.

— Папа, а ты бывал в Америке?

— Был. Дважды. Не мое. Но, по-видимому, твое?

— Не знаю... Может и мое... Как-то не думал. Живу и живу. Вот только баб американских не люблю.

— А как же ты?

— Там много разных, и китаянки, такие красотки бывают... И как-то ничего от тебя не требуют...

— Я тебя понял. А русские девушки?

— О! Русские в Америке как раз очень много требуют! — рассмеялся Тимур.

Им подали бефстроганов и кувшин черносмородинового морса.

— Папа, это мечта! — отхлебнув морс простонал Тимур.

— А ты и в детстве обожал морс.

— Да? Я не помню. А ресторан и вправду отличный. Скажи, а ты... У тебя есть какая-то дама? Ты в такой отличной форме...

— Нет. Но мне и не надо. Я на старости лет наслаждаюсь тем, что сам себе хозяин. Я только недавно понял, что это и есть идеал жизни. Минимум желаний и максимум возможностей этот минимум осуществить.

— С ума сойти, папа! Выходит, я живу идеальной жизнью?

— Нет! Ты еще молодой, у тебя очень много желаний...

— Не сказал бы...

— И зря! Ты просто еще не знаешь, что такое любовь.

— И слава богу! Я, папа, много читаю, собрал даже неплохую библиотеку, хоть это нынче и не модно. Из книг много знаю о любви, может, даже слишком много. И не хочу...

— Погоди, Бог тебя накажет. Так влюбишься, что света белого не взвидишь! Ну да ладно! Скажи, где ты хочешь побывать в Москве, кого повидать?

— Не знаю пока, хотя уже два желания сформировались. Побродить по Москве и встретиться с Венькой, может, смотаться на денек-другой в Питер.

— Но на днях же Новый год.

— Новый год встретим с тобой, папа!

— Отлично!

— А я не нарушаю тем самым какие-то твои планы?

— О нет! Я давно никуда не хожу на Новый год, предпочитаю сидеть дома. Один. Но вдвоем с тобой еще лучше.

— Папа, скажи, а на участке... Там есть еще калина? И на нее прилетают снегири?

— Да есть, и они еще прилетают, правда, в этом году пока снегу мало, да и тепло... Помнишь, как мама любила эти кусты?

— Помню, конечно. Знаешь, я однажды в парижской лавчонке увидел зимний пейзаж, с калиной и снегирем. И купил его буквально за гроши.

Он висит у меня в спальне в Нью-Йорке, и я его обожаю. Он напоминает мне детство, маму...

Сергей Сергеевич внимательно посмотрел на сына.

— Ты молодец, Тимка, ты все-таки нашего роду-племени...

Они еще выпили кофе.

— Ну, пожалуй, пора ехать.

— Да, папа, поедем. Ты не устал? Хочешь, я сяду за руль?

— Еще чего! Я сам!

Москва сияла новогодним убранством.

— Надо же... Пожалуй, не хуже, чем в Париже, да нет, лучше! И вообще... Скажи, папа, а что за женщина у тебя живет?

— Хорошая тетка, добрая, из Полтавы, дети ее в Польшу подались, а она в Москву. Мне ее порекомендовала одна знакомая, и с того момента я горя не знаю. Дом всегда в порядке, готовит божественно, а при этом удивительно тактичная и ненавязчивая женщина. И заботится обо мне. Повезло мне на старости лет.

— Папа, я привез еще коробку конфет, может, я ей подарю?

— Подари, Тимка, обязательно подари! Она будет в восторге! Ты молодчина!

Они въехали в дачный поселок. Тимур ничего не узнавал. Выросли какие-то новые дома, порой вычурные и безвкусные.

— Понастроили тут... — вздохнул отец.

— Да уж!

— А вот мы и дома!

Забор вокруг отцовской дачи был новый, кирпичная сплошная стена. Отец пультом открыл ворота и въехал на участок. Над крыльцом горел большой яркий фонарь.

— Снега нет, — с грустью произнес отец. — Зимой без снега все имеет какой-то сиротский вид.

— Собаки у тебя нет? — спросил Тимур.

— Нет. После Лорда, был у меня такой пес, душа-человек, не могу... Не хочу другого.

Сергей Сергеевич открыл дверь ключом.

— Авдотья Семеновна, мы приехали.

— Лешка, приехал все-таки! — обняла сына мама. — Ну зачем? А как же Вика? Она наверняка огорчилась?

— А чего ей огорчаться? Она осталась в Париже, — пожал плечами Алексей.

— А ты улетел? Она, наверное, обиделась?

— Это ее глубоко личное дело. Мне это уже не интересно.

— Лешка, что случилось? Вы поссорились?

— Мы расстались.

— Лешка, это бесчеловечно! — рассмеялась мама, в глубине души очень довольная. Ей не слишком нравилась Вика. — Девочка первый раз в Париже...

— Я ее предупреждал, что вернусь до Нового года.

— А она что же, осталась у Павла?

— Да. Они, похоже, понравились друг дружке, а я не возражал. Мне так лучше. Спокойнее.

— Какие вы все, мужики, противные! — сморщила носик Александрина Юрьевна. — Фу!

— Мамочка, а как ты?

— Нормально. Нет, я — отлично, просто супер! Обживаю новый дом и счастлива. У меня никогда не было такой роскошной мастерской. Все устроено именно так, как мне нужно. Но теперь надо еще больше работать, мне это счастье влетело в копеечку. Но заказов тьма, так что только успевай поворачиваться. Да еще в сентябре выставка предстоит. Да, ты где намерен встречать Новый год?

— Может, с тобой?

— Даже не вздумай! Езжай к Борьке, веселись там, а я не пропаду!

— Да уж, такие красавицы не пропадают!

— Ладно, не подлизывайся.

— Да, у тебя тут здорово, мам! А почему ты камин не сделала? Ты же собиралась?

— Да ну его! Знаешь, я тут писала портрет одной ну оччень богатой дамочки, так она мне демонстрировала свой камин, и все приговаривала: «Представляете, настоящий каррарский мрамор!» И с таким придыханием. Мрамор-то может и настоящий, а сама она вся поддельная, губы, сиськи. Брр! И ведь уверена, что все должны ей завидовать. А как она с прислугой разговаривает. Я чуть со стыда не сгорела.

— А ты почему?

— Мне за нее было стыдно.

— Но хоть расплатилась честно?

— Да. Со мной ее муж расплачивался. Он как раз практически нормальный, жутко замотанный мужик.

— Олигарх?

— Да почем я знаю! Но явно очень богатый. Обмануть меня он не решился бы, понимал, что могу ославить...

— Ох ты и крутая, мама! А что батьки́?

— Вроде все в норме. Звонят, интересуются.

— Знаешь, мне дядя Марик прислал тысячу евро в Париж! Мам, ты ему скажи, не надо было! Неудобно!

— Сам говори! А лучше бы просто сказал спасибо. Он тебя обожает, своего сына у него нет, и он от штуки евро не обеднеет.

— Я понимаю, но... Я ведь и сам уже кое-что зарабатываю... Но вообще-то это было кстати, я Вике триста евро оставил.

— А чего не пятьсот? — рассмеялась Александрина Юрьевна. — Жаба задушила?

— Нет, просто тогда бы мне не хватило на подарок тебе.

— Ой! И что за подарок, Лешка?

— Я не знаю, понравится ли... Я сейчас!

Он выскочил и побежал к машине. Вернулся с большим красивым пакетом.

— Вот, мама, примерь!

И он достал из пакета что-то меховое.

— Лешка, ты рехнулся?

Это оказалась меховая жилетка, легкая и очень красивая.

— Это жутко модно, мам, особенно для женщин за рулем. Мне сказали, что она связана из норки, как, я не понял.

Он подал матери жилетку, она надела ее. Жилетка оказалась невесомой и очень ей шла.

— Лешка, спасибо тебе, красотища! Только зря ты столько денег потратил.

— Почему зря? Тебе идет! И я же люблю свою мамашу.

— Не смей звать меня мамашей! — шутливо щелкнула сына по носу Александрина Юрьевна. — Да, если на толстый свитер, будет здорово.

— Мам, а ты понимаешь, что значит — связано из норки?

— Не очень понимаю, как это, но знаю, видала, у меня даже есть такой шарфик, только другого цвета.

— Значит, меня не надули.

— Идем, будем праздновать, все-таки день рождения.

— А ты гостей не звала?

— Куда мне гости, я еле жива! Вот на старое Рождество устроим новоселье, тогда и отпразднуем. А до тех пор я отдыхаю! Все уже отпоздравлялись, я всем сказала, что жду их седьмого. Но твоя помощь будет нужна ближе к делу! Я могу на тебя рассчитывать?

— Вопрос дурацкий, как минимум!

Они сели за стол в новенькой очень красивой кухне.

— Надеюсь, ты сегодня здесь переночуешь?

— А что?

— Ты ответь!

— Безусловно, переночую.

— Тогда вспомним молодость!

— Ура! — завопил Алексей.

Мама подала на стол сосиски с картофельным салатом, достала из холодильника баварское пиво, а потом еще и воблу. Когда-то они именно так отметили его восемнадцатилетие к вящему возмущению бабушки.

— Вы бы еще семечки лузгали! — негодовала она.

— А что? Роскошная идея! — хохотала мама.

Бабушка в прошлом году умерла. И хотя они часто не понимали друг друга, но с ее уходом оба поняли, что осиротели.

Они помянули бабушку, вопреки традиции чокнувшись дивной красоты баварскими пивными кружками и, доев сосиски, принялись колотить воблой о массивный деревянный стол. При этом оба хохотали как сумасшедшие. Как они любили друг дружку в этот момент, впрочем, они всегда любили друг друга.

— Знаешь, мам, я когда подъехал к дому, вдруг увидел его совсем другими глазами, вроде как со стороны, он не просто красивый, а какой-то особенный, впрочем, ты у меня тоже особенная, мамочка!

За завтраком отец сказал:

— Ты, Тимка, вовсе не обязан сидеть тут с утра до вечера. Езжай в город, ты же мечтал побродить по улицам, поглазеть на новую Москву, вот и езжай! А я буду работать. Если вдруг решишь заночевать в городе, вот тебе ключи от квартиры, только, пожалуйста, позвони, предупреди.

— Спасибо, папа, я, пожалуй, так и сделаю.

— Может, возьмешь машину? У тебя же есть права?

— Пожалуй, не стоит, и доверенности нет и, сам же говоришь, проблемы с парковкой... Я на электричке, как раз приеду к трем вокзалам, а там разберусь.

— У тебя есть какие-то конкретные планы?

— Нет, ничего конкретного.

— Ну, тогда ступай с миром.

До станции было пятнадцать минут пешком. Как жаль, что почти нет снега, вид не тот... И вдруг он вспомнил, что Венька Лебедев, его школьный друг, жил в пяти минутах ходьбы от вокзала. Они с первого класса сидели за одной партой и слыли отпетыми хулиганами. Но после школы Венька вдруг решил умотать из Москвы на Камчатку к ужасу его мамы, Натальи Олеговны. И уехал. Первое время присылал матери и лучшему другу довольно длинные и хорошо написанные письма с восторгами по поводу камчатской природы, потом написал, что его взяли на рыболовецкий траулер матросом, что тоже повергло его в восторг, поистине щенячий, и в кромешный ужас Наталью Олеговну. А потом у Тимура началась бурная студенческая жизнь. Он поступил на мехмат, влюбился, женился, развелся и все за один год. А еще через два года он, благо была такая возможность, слинял в вожделенную Америку, которой тогда бредили многие из его окружения. Отец был категорически против, но что он мог поделать со взрослым сыном?

Интересно, как там Венька? А Наталья Олеговна? Пойду, тут недалеко, в Большом Балканском переулке. Черт, неудобно идти с пустыми руками, но с другой стороны, они вполне могли переехать, и что я буду тогда делать с подарками? Вот если найду кого-то, тогда и буду соображать. Он быстро пошел в направлении знакомого дома. Дом стоял на месте. Вдруг пришло ощущение, что он не зря туда идет. Подъезд был закрыт. Он потоптался в нерешительности, но тут из подъезда вышла девочка с двумя толстыми таксами, черной и коричневой. Тимур вошел в подъезд и поднялся пешком на третий этаж, хотя в доме был лифт. когда-то эта дверь выглядела весьма непрезентабельно — обивка была порезана хулиганьем и из порезов торчали клочья грязной ваты. Теперь же это была красивая дверь, обшитая темным деревом. Ну, с богом, сказал себе Тимур и нажал на кнопку звонка.

— Кто там? — раздался женский голос.

— Наталья Олеговна?

— Да, а вы кто?

— Наталья Олеговна, откройте, пожалуйста, это Тимур Альметов!

— Господи Иисусе, Тимка! — воскликнула женщина за дверью и завозилась с замком.

Она мало изменилась, только поседела.

— Матерь Божия, Тимка! Откуда ты взялся? Ох, какой красавец стал, просто кинозвезда! Заходи, заходи скорее! Дай я тебя расцелую! А мы с Венькой буквально на днях вспоминали тебя. Веньки сейчас нет, мотается перед праздником, заканчивает какие-то дела... Ох, Тимочка, ты голодный?

— О нет, Наталья Олеговна! Вы прекрасно выглядите. Я так рад вас видеть... Я вот вчера прилетел в Москву, вернее, на дачу к отцу...

— А как Сергей Сергеевич, жив-здоров?

— Слава богу! А я сегодня приехал в город на электричке и решил к вам заглянуть...

— Молодец, ох какой ты молодец! Ну хоть чай или кофе выпьешь?

— Чашку кофе выпил бы с удовольствием.

— Ну пошли на кухню! Садись, пей кофе и рассказывай.

— Что рассказывать? — растерянно улыбнулся Тимур.

— Как ты, где живешь, что делаешь, дети есть? — забросала его вопросами Наталья Олеговна.

— Хорошо, отвечаю по пунктам. Живу в Нью-Йорке, у меня небольшой бизнес, жены и детей нет, а у вас есть внуки?

— Есть внучка, ей семь лет, но она живет в Хабаровске и ее мамаша, редкая стерва, не разрешает Веньке даже видеться с нею. Ну и мне тоже... Так что считай и нет у меня внуков. Венька второй раз никак не женится... Вот и ты холостяк...

— А чем Венька занимается?

— Венька режиссер-документалист. Довольно известный в узких кругах. Мотается по стране, снимает в основном всяких животных, вымирающие виды...

— Ого, молодец какой...

— Ой, я сейчас ему позвоню, скажу, что ты у нас, он обрадуется... Ты не очень спешишь?

— Да нет в общем-то...

— Алло, Венька? Ты скоро вернешься? А то тут к тебе пришли! — радостно-таинственным тоном сообщила Наталья Олеговна. — Да скажу, скажу! Тимур. Что значит, какой Тимур? Твой школьный дружок. Правда-правда! Вот так заявился, красавец невозможный! Вот и молодец! Он уже едет! Будет через полчаса! Обрадовался не знаю как! Аж задохнулся! Скажи, Тима, ты первый раз в Москву приехал?

— Да, первый!

— А с отцом хоть виделся?

— Нет, Наталья Олеговна, не виделся, мы ж тогда в ссоре были... А тут вдруг подумал — какой бред! Сколько там отцу осталось, а я... Взял и позвонил. А он обрадовался... Ну я и рванул...

— Извини, Тима, а Сергей Сергеевич... он пытался тебя искать как-то?

— Нет. Он такой же упертый, я в него пошел. Но встретились так, словно и не было этих лет.

— Слава богу! Скажи еще, а ты там, в Нью-Йорке, один живешь?

— Один, — улыбнулся Тимур. — Я очень ценю свободу.

— Ну хоть друзья у тебя есть?

— Друзья? Нет, пожалуй, в нашем понимании этого слова нет. А вот приехал и сразу вспомнил про лучшего друга.

— Молодец! А Венька дружбу очень ценит. У него есть очень близкие друзья, он тебя с ними обязательно познакомит. Я уверена!

— А как вы сами, Наталья Олеговна? Выглядите просто прекрасно.

— Да хорошо! Вышла на пенсию, даю частные уроки, за это неплохо платят, хожу дважды в неделю в спортзал, главное — сын со мной, хотя, если честно, я предпочла бы, чтобы он женился, но он ни в какую!

В этот момент в двери повернулся ключ. И через минуту в кухню ворвался мужчина в кожаной куртке.

— Тимка! Друг!

Тимур вскочил и они обнялись

— Венька! Как я рад!

— Скотина бессовестная! Пропал на столько лет! Я пытался тебя искать в соцсетях, но тщетно! Ну ладно, прощаю! Ну, что, где, когда? Дай погляжу на тебя, мама права, красавец!

— Да ладно!

— Мама, я голодный! Ты Тимку еще не кормила?

— Да он отказался!

— А я вот не откажусь! И он со мной поест как миленький! Ох, Тимка, до чего ж я рад! Ты в Москву надолго?

— Не знаю еще, думаю, недели на две.

— Новый год где встречаешь?

— С отцом, на даче.

— Дело святое! Но в православное Рождество я тебя ангажирую, поедем на новоселье к одной очень интересной женщине.

— Веня, ты о ком? О Сандре?

— Конечно! Она построила дом и пригласила на новоселье!

— Но я... — попытался было возразить Тимур, но не тут-то было.

— Возражения не принимаются! Там будут все мои друзья, которые много о тебе слышали, ты просто обязан познакомиться с ними, да и с Сандрой тоже. Ты не думай, сватать тебя никто не собирается. Соберется теплая компашка, посидим, выпьем, пообщаемся, тебе понравится, я стопудово уверен!

Тимур улыбнулся.

— Ну что ж, если ты настаиваешь...

— Я настаиваю!

— Венька, ну что ты пристал к человеку! Слушай, по-моему у Сандры сегодня день рождения?

— Да, но она обзвонила всех и сказала, что праздник переносится на седьмое. Она еще не очухалась от переезда. Я ее поздравил, хотел заехать хоть на полчаса, но она объявила, что сегодня никого не принимает, будет вдвоем с сыном.

Наталья Олеговна тем временем накрыла на стол, разогрела обед и заявила:

— Вот что, мальчики, вы тут сами хозяйничайте, а я, раз такое дело, пойду пройдусь по магазинам и загляну к Нюсе, она давно звала...

— Это вы из-за меня? — всполошился Тимур.

— Нет, конечно, я могла бы просто уйти к себе в комнату, — рассмеялась Наталья Олеговна.

— У меня самая тактичная мама на свете! — засмеялся Вениамин. — Ну, друг, какими судьбами?

Тимур рассказал, как все вышло.

— Тимка, я краем уха слыхал, что ты вроде играл...

— Да, играл, и успешно, а это затягивает, но потом понял — может затянуть на дно. И в один прекрасный день бросил.

— Ты гигант! И не тянет?

— Иногда тянет, но не смертельно. Рацио берет верх.

— То есть ты не очень азартный?

— Был очень азартный, но не до безумия. Помню, как-то проигрался, надо было отыгрываться, занял у товарища пять тысяч долларов. Отыгрался, отдал долг и попросил никогда больше мне в долг не давать. Вдруг не сумею вернуть?

— Да, рацио... Молодец! Ну а сейчас чем думаешь заниматься?

— У меня небольшой бизнес есть.

— На какую тему?

— Держу четыре магазина. Торгую... машинками.

— Какими машинками?

— Моделями машин.

— Игрушками?

— Ну, в известном смысле да, игрушками, хотя мои покупатели в основном вполне взрослые и по большей части весьма состоятельные дяди.

— Коллекционеры, что ли?

— В основном да, коллекционеры.

— Слушай, здорово! Хотел бы я попасть в такой магазин... Интересно!

— А приезжай ко мне! Ты был в Нью-Йорке?

— Нет, я был только в Калифорнии.

— Правда, приезжай, покажу тебе город, на Бродвей сходим, в музей Гуггенхайма, и вообще куда захочешь.

— Заманчиво! Ну, там видно будет.

— Вень, твоя мама сказала, ты снимаешь кино про вымирающих животных...

— Ну, не только.

— Так расскажи о себе!

— Да ну, неохота, успеется еще!

— А чего не женишься?

— Да так как-то...

— А кто такая Сандра?

— Нет, это не то! Это просто подруга, вернее, не так, Сандра — друг, настоящий друг. Знаешь, я года три назад встретил одну... Показалось — то, что надо. Стали жить, что называется, гражданским браком. У нее была квартира, мы там жили вдвоем. А Сандра... я видел, что Маринка ей не нравится. Как-то по пьяни пристал к ней, почему ты к Марине так относишься. А она и говорит: «Ты дурак, Венька, она тебя не любит. И ты скоро это поймешь!» А Сандра, она людей насквозь видит, но я тогда не поверил, тем более Маринка всячески мне свою любовь демонстрировала. А однажды я случайно услыхал ее разговор с подружкой... и узнал, что я разве что ей не противен, а любит она одного американца, который в Москве работает, а со мной сошлась, чтобы ему досадить, ну и все в этом роде, и вообще быть одной — это стыдно и непрестижно...

— Гадость какая! — воскликнул Тимур. — И что ты сделал?

— Ушел, а что еще в такой ситуации делать? Не бить же ей морду, хотя, признаюсь, очень хотелось. Слушай, а как вы там с бабами, а? Опасно же, даже ущипнуть за задницу опасно...

— Опасно, — хмыкнул Тимур. — Есть у меня одна китаянка, красивая, милая... Я все больше по экзоткам, они еще не так оборзели, как американки. Обхожусь, одним словом.

— Ошизеть!

— Вень, а ты мне не покажешь какой-нибудь свой фильм? Интересно же!

— Покажу, конечно, просто сейчас неохота, хорошо сидим. Я ведь, Тимка, ты помнишь, с рыбаками ходил на Дальнем Востоке...

— Это последнее, что я о тебе знал.

— Ну вот, я тогда понял: море — это мое, и пошел в мореходку...

— Да ты что!

— Да и окончил, и служил...

— А как Наталья Олеговна это пережила?

— А что было делать? И хоть время было для флота тяжелое, жуть просто, но мы... У меня двое друзей с тех пор, вернее, было трое, но один умер давно, самый лучший из нас, Георгий, он погиб совсем молодым, у него жена с сынишкой остались, Сандра, Александрина... И мы, трое друзей, поклялись, что заменим Лешке отца...

— Погоди! — воскликнул Тимур. — Ты сказал, Лешке?

— Ну да, Лешке.

— Вы трое? Вы батьки?

Вениамин вытаращил глаза.

— Ты что, знаешь Сандру?

— Нет, я знаю Лешку! — рассмеялся Тимур.

— Но... каким образом?

Тимур рассказал.

— Нет, ну надо же.

— Между прочим, Лешка показал мне вашу фотографию, но я тебя на ней не признал.

— Просто не вглядывался небось...

— Пожалуй, да, не вглядывался.

— С ума сойти! До чего же свет мал! Ну уж теперь ты просто обязан поехать к Сандре.

— Пожалуй, да! — рассмеялся Тимур.

— И я уверен, она захочет написать твой портрет.

— Господи, зачем!

— А у тебя интересное лицо. Между прочим, она модная портретистка, наша Сандра. Хотя нигде не училась специально. Она по образованию юрист, начинала адвокатом, и хорошо работала, а лет двенадцать назад в один прекрасный день вдруг все бросила и занялась живописью, стала продавать свои картины в Измайлове, их покупали, потом написала портрет одного артиста, достаточно известного, и портрет имел просто бешеный успех, и ее начали приглашать разные знаменитости. И даже олигархи. Всем охота иметь портрет кисти знаменитой Александрины Ковальской. В сентябре у нее должна быть персональная выставка...

— Круто! А ты по-прежнему дружишь с теми ребятами?

— Конечно! Для нас это святое! И Сандра тоже не оторвалась от нас. И мы все друг другу помогаем, когда возникает необходимость.

— Красиво! Красиво и романтично! А как же море?

— Море — это молодость! Мы ее не забываем, но все как-то нашли себя. Марик работает на телевидении, а Игорь — крутой программер.

— И вы все влюблены в Сандру? — улыбнулся Тимур.

— Да нет, ты что! Игорь счастливо женат. Марик два года назад овдовел.

— Слушай, Венька, вот сижу тут с тобой, слушаю, и как будто в детство вернулся, когда еще романтика и все, что с ней связано, — святая дружба, море, верность, любовь... Просто не верится даже. Неужто все это еще есть?

— Да есть, хоть это и редкость.

— Но все-таки это существует?

— Как видишь!

Они еще долго сидели, что-то вспоминали, над чем-то смеялись, их души размягчились...

— Ох, Венька, а где ж Наталья Олеговна бродит? Время восьмой час! Да и мне пора, отец ждет.

— Мама у подружки, а вот Сергея Сергеевича не стоит огорчать! Я тебя провожу до электрички. Я бы отвез, но пил, сам понимаешь!

— О чем речь! Прекрасно доберусь на электричке!

Они простились на перроне, договорившись встретиться седьмого и поехать в гости к Сандре. Обнялись на прощание.

— Знаешь, Тимка, у меня было несколько встреч со старыми товарищами, но кроме разочарования они ничего не приносили. А с тобой... мы понимаем друг друга, как в школе.

— Ты прав, Веня! Я тоже это проходил.

Едва электричка тронулась, Тимур позвонил отцу.

— Папа, я еду домой.

— Ну, как погулялось?

— Приеду — расскажу!

Отметив день рождения с сыном, Сандра отпустила его со словами:

— Все, Лешка, до шестого можешь быть свободен! А я буду отсыпаться, я устала, как пес!

— Так до шестого и будешь дрыхнуть? — засмеялся сын.

— По крайней мере сейчас мне так кажется! А шестого надо будет во дворе прибрать. Я, конечно, и сама могу, но на что тогда нужен сын?

— Даже не вздумай! — погрозил ей пальцем сын.

— Кстати, Лешка, если захочешь привезти кого-то из друзей, милости прошу. Или девушку... Да, ты с Викой не помирился?

— Даже не собирался, — нахмурился Алексей.

— А она не проявлялась?

— Прислала вчера эсэмэску. Я не ответил. Да Бог с ней, мама, я понял, она... не нашей крови, дешевка.

— Я это давно поняла, но не стала тебе говорить, была уверена, сам поймешь рано или поздно. Но я счастлива, что ты это понял не поздно.

— Мама, ты мудрая, как змея!

— Не смей сравнивать меня со змеей!

— А кто у нас еще мудрый?

— Сова!

— А с совой можно тебя сравнивать?

— Нужно! Обожаю совушек. Это такие летающие кошки, прелесть просто!

— Я понял, мне надо искать такую, как ты!

— Таких, как я, больше нет! Так что не теряй время зря! — засмеялась Александрина Юрьевна.

— Все, мам, я поехал!

Проводив сына, она вернулась в дом и, совершенно счастливая, огляделась по сторонам. Господи, неужели это мой дом? Я себе не верю! Такой красивый, современный, уютный. И эта потрясающая круглая лестница, ни у кого такой еще не видела. Мне ее предложил изумительный краснодеревщик, с которым меня познакомил Марик. Эта лестница — ноу-хау этого краснодеревщика. По ней так легко подниматься, и она так вписалась в интерьер дома. Все, кто видел, спрашивают: а что это такое? Даже не сразу сообразишь, что лестница. И Александрина Юрьевна, медленно, с наслаждением начала подниматься к себе в мастерскую. Наконец-то у меня есть собственная мастерская, такая, как надо, с верхним светом... Она еще не пропиталась запахом красок, новенькая, с иголочки, как и весь дом. И все это я сама! Своим горбом заработала, нет, не горбом, а талантом!!! Ну и везением, конечно. В России есть масса художников куда талантливее меня, а они с трудом сводят концы с концами, а я нынче в моде, у меня прорва заказов. Я, собственно говоря, не столько художник, сколько даровитый ремесленник... Ну и пусть! Я ведь не училась живописи, но мои портреты пользуются бешеным успехом, и слава богу! Если не считать себя гением, признанным или непризнанным, тогда живешь в ладу с собой и радуешься жизни и никому не завидуешь. Мне, в сущности, плевать, что мои работы не висят в Третьяковке или в музее Гуггенхайма. Плевать с высокого дерева! Я занимаюсь любимым делом и мне за него хорошо платят. Это ли не счастье, по крайней мере для женщины? У меня чудесный сын, хорошие верные друзья... Чего мне не хватает? Ну, вероятно, любви... А кому и когда ее хватает? Что-то я таких не знаю.

Она засмеялась, закружилась по мастерской и с разбега плюхнулась на диван. Ох, устала! Она натянула на плечи плед, свернулась калачиком и вскоре уснула.

Второго января Тимур поехал в Москву и долго гулял по городу, с удовольствием бродил по почти забытым улицам, многие из которых были чудесно украшены к Новому году. На Тверской дым, что называется, стоял коромыслом. Вокруг памятника Юрию Долгорукому в многочисленных павильончиках продавалась разная снедь, от русских блинов до каких-то изысканных австрийских пирожных. Он отведал и блинов, и чешских сосисок. Черт возьми, как хорошо! Настроение было превосходным. Надо же, как изменилась Москва! Сколько веселых, радостных лиц, сколько ребятишек, и ведь вся эта роскошь стоит не так уж дешево, а отбою от покупателей нет, почти за всем стоят веселые очереди...

Две красивые, хорошо одетые женщины лет по сорок с наслаждением пили глинтвейн. Одна из них вдруг обратилась к нему по-английски. Приняла за иностранца. Впрочем, я и есть иностранец.

— Вам нравится здесь? — спросила она кокетливо.

— Да, очень! — тоже по-английски ответил он.

— Вы первый раз в Москве?

— Да, — кивнул он. — Тут весело! И вкусно.

— А вы откуда сами?

— Из Америки.

— Ой, а вы не подумаете, что мы это... вас сексуально домогаемся? — слегка хмельным смехом залилась ее подруга.

— Боже сохрани! — рассмеялся он. — Хотя, на мой взгляд, любой мужчина был бы счастлив стать объектом домогательств таких прелестных дам!

— А ведь вы врете, вы не американец! — заявила одна из женщин. — У вас английский с русским акцентом! И психология не американская!

— О! У вас очень тонкий слух, — по-русски ответил Тимур. — Но я и вправду живу в Америке!

— А я преподаю английский на филфаке МГУ, и хоть не сразу, но раскусила вас!

В этот момент Тимуру позвонил отец.

— Тимка, тебе не трудно будет купить мне блок сигарет?

— Хорошо, папа! Простите великодушно, дамы, я должен спешить.

Он поклонился и ушел.

— Какой интересный! — проговорила одна из дам. — В нем есть какая-то южная кровь.

— Да, может быть. А я бы с таким закрутила...

— Да, он хорошо воспитан... Но...

— Вот именно — но!

Они рассмеялись не без горечи.

...Тимуру было хорошо, так хорошо, как давно не было. Примирение с отцом — камень с души. Они подолгу сидели вдвоем, говорили обо всем на свете. Поразительная эрудиция отца, в юности казавшаяся ему занудством, сейчас доставляла Тимуру истинное наслаждение. Он и сам был человеком образованным, начитанным, но на какую бы тему ни зашел разговор, отец всегда оказывался в курсе.

— Знаешь, папа, я вот говорю с тобой и понимаю — теперь таких людей больше нет.

— Каких таких? — улыбнулся Сергей Сергеевич.

— Людей столь образованных в самых разных областях.

— Вероятно, потому что мы в молодости не сидели целыми днями, уткнувшись в телефоны. И в твоей юности еще не было этой заразы, поэтому мне почти не стыдно за тебя.

— Почти? — улыбнулся Тимур.

— Прости, сын! Не хотел тебя обидеть.

— Да ладно, папа, я не в претензии, тем более, что и сам понимаю — мне далеко до тебя.

— Скажи, Тимка, а ты не жалеешь, что уехал?

— Да нет, папа, я все-таки повидал мир, а, главное, жил так, как считал нужным.

— То есть, в свое удовольствие?

— Пожалуй, ты прав. Только не надо читать мне нравоучений!

— Боже сохрани! Тем более, что нравоучения, как правило, совершенно бесполезны и ничего кроме раздражения не вызывают. Каждый хозяин своей судьбы.

— Ты считаешь, что судьба все-таки играет роль в жизнь человека?

— Безусловно! Просто человек выбирает себе дорожку, а там уж...

— Спорный вопрос, папочка! Мне ведь суждено было пойти по твоим стопам. Я помню, как ты огорчился, когда я отказался поступать на биофак и пошел на мехмат, то есть встал не на ту дорожку...

— Нет, я тогда смирился, но ты ведь по той дорожке тоже не пошел. Хотя у тебя были несомненные способности к точным наукам, но ты их использовал... Извини, но... не совсем во благо...

— Ну почему? Я был выдающимся игроком, ты мог бы мной гордиться, если бы...

— Да ладно, не ершись! Я просто горжусь тем, что ты нашел в себе силы сойти с этой дорожки, и взялся за ум, и к тебе, кажется, не прилипла эта американская пошлость...

— Ты о чем? В Америке очень насыщенная и богатая культурная жизнь...

— Не спорю, но... Впрочем, не будем об этом. Как говорится, в каждой избушке свои погремушки.

— Это правда. В каждой свои!

И хотя шпильки отца по поводу Америки слегка раздражали его, он все ему прощал. Он любил сейчас отца куда сильнее, чем в юности, и многое готов был ему простить.

Шестого вечером Тимуру позвонил Вениамин.

— Тимка, ты помнишь, мы завтра едем в гости!

— Помню, конечно. Только как-то неловко ехать с пустыми руками. Скажи мне, что следует купить в подарок?

— Купи цветы. Для первого знакомства вполне достаточно.

— А какие предпочтительнее?

— Ой, не знаю! Сам реши! Встречаемся в час дня.

— Хорошо. Буду.

— Куда это ты собрался? — полюбопытствовал Сергей Сергеевич.

— Венька тащит меня в гости к какой-то своей подруге, кажется, она художница.

— Сватает? — лукаво подмигнул ему отец.

— Это бесполезно, — усмехнулся Тимур.

За последние два дня навалило очень много снега. Деревья вдоль дороги стояли в снегу, сквозь облака пыталось пробиться солнце, было удивительно красиво.

— Хорошо, что праздники, — заметил Вениамин, — а то такие пробки могли бы быть... Ну, Тимка, как тебе родной город?

— Да хорошо, даже очень! Но это совершенно другой город! Я тут погулял по Тверской, по Никольской...

— А у нас в определенных кругах принято все хаять.

— Да? Ну, значит, меня бы определенные круги не приняли. Да и пес с ними, с этими кругами! — рассмеялся Тимур.

— Узнаю друга Тиму!

На въезде в поселок их спросили, к кому они едут.

— К госпоже Ковальской! — ответил Вениамин.

Охранник сверился со списком и пропустил машину.

Тимур вдруг начал волноваться. Хотя это было ему несвойственно.

Вениамин посигналил у ворот. Никто им не открыл. Он вылез из машины. Тимур последовал его примеру.

Ворота были завалены снегом. И только узкая тропка от калитки к дому была расчищена.

— Думаю, Венька, придется нам с тобой тут помахать лопатами, — засмеялся Тимур.

— Да я не возражаю, — хмыкнул Вениамин. — Надо помочь женщине. Пошли!

Из-за дома раздался какой-то восторженный визг. Они поспешили туда. И замерли в изумлении. Из большущего сугроба вылезла женщина в купальнике и быстро-быстро вскарабкалась по стремянке на крышу сарая. Женщина была рыжей, успел заметить Тимур.

— Сандра, ты спятила! — закричал Вениамин.

— Ни чуточки! — крикнула в ответ женщина и ринулась вниз, в сугроб!

Тимур не растерялся, сорвал с себя дубленку, подбежал к женщине, вытащил ее из сугроба, накинул на нее дубленку и понес к открытой двери черного хода.

— Вы с ума сошли? — спросил он на бегу.

На него глянули огромные зеленые глаза.

— Нет, я просто воплотила свою детскую мечту. А вы кто такой вообще?

Он поставил ее на пол. Она была вся мокрая.

— Живо переодевайтесь. Все разговоры потом!

— Ну да, да... — как-то задумчиво проговорила она и вдруг сорвалась с места и побежала вверх по какой-то странной лестнице, похожей скорее на приземистую башню.

— Охренеть, что она вытворяет! — возмущенно проговорил Вениамин. — Так и ласты склеить недолго. А ты молодец, не растерялся.

— Красивая, зараза! — заметил Тимур.

— Ага! Но с такими закидонами, это ж надо такое выдумать... Пошли, заберем все из машины!

— Пошли!

— Да ладно, я сам, а то твоя дубленка небось вся мокрая!

— Кажется, да, но это не страшно.

— Да ладно, я сам!

Вениамин ушел. А Тимур озирался вокруг. Все очень красиво и как-то необычно. По крайней мере ему так показалось. И тут по лестнице сбежала хозяйка дома в джинсах и темно-голубом толстом свитере. Рыжие волосы затянуты в хвост.

— Здравствуйте! А вы кто?

— Я друг Вениамина. Тимур.

— Ах да, он говорил, я просто растерялась немного, извините. А где Веня?

— Пошел взять из машины подарки.

— Ну что ж, Тимур, будем знакомы, Александрина!

Она протянула ему руку. Он крепко пожал ее.

— Какое красивое имя... Александрина... Никогда не встречал ни одной Александрины.

— Такова была причуда моих родителей. Но мне нравится. О, а вот и Венька! Привет, дружище!

Они обнялись.

— Слушай, к тебе на участок не въедешь.

— Ничего, скоро явится Лешка с другом, им и лопаты в руки! Молодые, пусть работают.

— А то мы с Тимуром готовы!

— Да, разумеется, — подтвердил Тимур.

— Ни фига! Пусть молодежь вкалывает.

— Ну, подруга, показывай дом! — потребовал Вениамин. — Да, а что это тебе вздумалось с крыши сигать?

— Знаешь, я тут по телевизору видала, как на Сахалине один мужик открыл окно и в одних трусах выпрыгнул в сугроб, а за ним сынишка! И мне так захотелось...

— И сколько раз вы прыгнули? — полюбопытствовал Тимур.

— Только два, а собиралась три! Но вы мне помешали! Ладно, проведу экскурсию для вас, хотя нет, лучше когда все соберутся, а то неохота показывать всем по отдельности. Садитесь, ребята. Выпить хотите?

— Я вообще-то за рулем...

— Вот еще! Переночуете здесь. Или Тимур должен вернуться сегодня? — она вопросительно взглянула на него. Он поразился, сейчас ее глаза были голубыми, в цвет свитера.

— Не удивляйтесь, — улыбнулась она, — у меня глаза меняют цвет...

А ведь я ни слова ей не сказал. Она что, и мысли читать умеет, рыжая ведьма?

— Я вообще-то ангел во плоти, — кокетливо пожала она плечами.

— Вы это к чему? — удивился Тимур.

— Ну, вы же наверняка обозвали меня про себя рыжей ведьмой!

— Даже не думал! — рассмеялся Тимур.

— Ну, ну, сделаю вид, что поверила. А с цветами вы угадали, я обожаю анемоны. Спасибо! О, а вот и мой сын пожаловал! С другом! Сейчас они живенько снег раскидают.

— Мам, мы приехали! — и в комнату ворвались двое парней.

— Ой, это вы? — не поверил своим глазам Алексей.

— Я! — улыбнулся Тимур. — Ну здравствуй, Леша.

— Но как? Вы знакомы с мамой!

— Двадцать минут назад познакомился. Я старый друг Вениамина.

— Вы знакомы с моим сыном?

— Да, мы вместе летели из Парижа и в самолете разговорились...

— Надо же... А у вас очень интересное лицо. Хотелось бы написать ваш портрет, — задумчиво проговорила Александрина. — Армения, Грузия? Или Испания?

— Моя мать была армянкой, — почему-то вдруг смутился Тимур.

— А вы сейчас наверняка интереснее, чем в молодости. Тогда вы были просто красавчиком, — все также задумчиво, словно прикидывая что-то, говорила Александрина. — У вас явно непростая история...

— Сандра, окстись, у кого в наше время простая история? — вмешался Вениамин. — Тимка, не соглашайся, она тебя замучает!

— Да ладно, не хотите как хотите, настаивать не буду. Просто говорю, что вижу!

В этот момент к дому подъехала еще одна машина, откуда вылезли мужчина, женщина и немецкая овчарка.

— О, а вот и Игорек с Настей.

Овчарка тем временем залилась веселым лаем и зарылась носом в снег. Перевернувшись на спину, она каталась, помахивая лапами, вскакивая, отряхивалась так, что снег летел во все стороны, потом опять валилась на спину.

— Что-то мне это напоминает, — со смешком заметил Тимур.

Александрина засмеялась так весело, что у Тимура дрогнуло сердце. Она накинула на плечи куртку и выскочила на крыльцо.

— Настя! Игорь! Сюда!

Между тем мальчишки побросали лопаты и принялись играть с собакой. Та была в полном восторге.

— Представляешь, Сандра, Игорь не хотел брать Ларса с собой! Вон как пес счастлив!

— Да я уж вижу! Пусть наслаждается! Привет, привет!

Хозяйка расцеловалась с гостями и повела их в дом. На крыльце обернулась и крикнула:

— Лешка, побойся бога, беритесь за лопаты, а то скоро еще гости явятся, а во двор не заедешь! Успеете еще наиграться. Как маленькие, ей-богу!

— Сейчас, тетя Сандра, мы мигом! — крикнул Лешкин друг Кирилл.

Парни взялись за дело. Ларс носился между ними, мешая работать и весело взлаивал, приглашая продолжить игру. Тимур, стоя у окна, наблюдал за этой картиной. На него вдруг повеяло детством, субботними визитами гостей на дачу, запахами маминой сказочной стряпни...

— Настя, пошли на кухню, — позвала приятельницу Александрина.

— Слушай, Сандра, кто этот красавец?

— Друг Вениамина. Приехал из Америки. Интересное лицо, хотелось бы написать.

— По-моему, он положил на тебя глаз.

— Ну и что?

— Может, обратишь внимание?

— А ну его... Слишком он верченый какой-то, комплексы там какие-то гуляют, неохота мне.

— Ну и зря! Очень-очень привлекательный самец!

Но тут на кухню заглянул Игорь.

— Сандра, какой чудный дом! А лестница... Где такую надыбала?

— В мастерской краснодеревщика. Нравится?

— Вообще улет! Красотища! Небось стоит немерено!

— Ага! Недешево, прямо скажем! Весь гонорар за портрет одного олигарха ушел! Но зато даже когда я стану старенькой, подниматься по такой лестнице будет легко!

— О чем ты говоришь, какая старость! — возмутилась Настя, которой не исполнилось еще и тридцати.

— Просто я дальновидная! — засмеялась Александрина.

Вскоре приехали еще гости. Все сидели за огромным столом, шутили, смеялись, все было на удивление вкусно. Вениамин мастерски рассказывал анекдоты, иной раз на грани фола, но ни разу не перешел эту грань. Тимур сидел молча, он чувствовал себя не в своей тарелке, отвык начисто от подобных сборищ. И почти не пил. Он ни за что не хотел оставаться тут на ночь. В какой-то момент, после фантастически вкусного жаркого из оленины, он вышел из-за стола, прошел в другую комнату и вызвал такси.

— Вам не нравится у нас? — спросил Алексей, слышавший его разговор.

— Нет, что ты! Очень нравится. У вас чудесно, но я обещал отцу вернуться сегодня не очень поздно. Не обижайся!

— А вы меня не подбросите до Москвы, а то у меня же сессия, надо заниматься. А я пил все-таки...

— Подброшу, не вопрос.

Из столовой раздался взрыв хохота.

— Я, пожалуй, уйду по-английски, — сказал Тимур, — не хочу нарушать веселье. О, а вот и машина! Ты маму-то предупреди!

— Да, верно! Я мигом!

Тимур уже надевал дубленку, когда в прихожую вышла Александрина.

— Тимур, куда же вы?

— Я обещал отцу...

— Ну что ж, не смею задерживать. Рада была познакомиться. Приезжайте еще! А Лешку я никуда не отпущу сегодня!

Она протянула ему руку, он поцеловал ее.

— Спасибо, Сандра, у вас хорошо... И вы... очень красивая...

— Особенно в сугробе, да?

— И не только! До свидания, Сандра.

И с этими словами он вышел на крыльцо. Машина уже дожидалась за забором.

— Мам, почему он уехал?

— Говорит, что обещал отцу. Но, думаю, врет.

— Почему?

— Ему тут было тяжело.

— С чего ты взяла?

— Просто почувствовала. Ну и бог с ним! Пусть гуляет на воле!

И они вернулись к гостям.

...Водитель попался неразговорчивый. Тимур закрыл глаза и сразу увидел, как Александрина с крыши сигает в сугроб. Ненормальная! Но хороша... Она такая раскованная, но без всякой вульгарности. Просто уверенная в себе женщина, всего добившаяся сама, несомненно талантливая. В доме висят несколько ее работ... Интересно, у нее есть любовник? Наверняка. Но среди гостей его явно не было. Скорее всего он совсем молодой, и она скрывает его от сына и друзей. И, кажется, она умная, с ней интересно было бы поговорить. Она явно умеет слушать, а это редкость... Но это не мой кадр.

— Тимка, ты вернулся, я думал заночуешь там, — встретил его отец. Он явно был рад возвращению сына. — А я как раз собирался пить чай. Ты как?

— Да я отвык от чаепитий, папа! Но, пожалуй, за компанию выпью.

Отец сам заваривал чай, это был целый ритуал. Смотреть на его манипуляции было приятно и спокойно. А в доме Александрины он ни секунды не чувствовал себя спокойно.

— Тимка, пей чай, бери варенье! Это из райских яблочек, а это земляничное! Кажется, ты любил земляничное... Помнишь, как мама варила землянику...

— Да, в таком большом медном тазу.

— А тебе доставались все пенки.

— Ничего вкуснее этих пенок я сроду не ел.

— Ну, а как ты погулял сегодня?

— Объективно — неплохо, красивый дом, красивая хозяйка, веселая, дружная компания, но я там чувствовал себя лишним, мне было неуютно. Я отвык от подобных историй...

— А что, у себя в Америке ты не бываешь в таких компаниях?

— Нет. Я вообще скорее одинокий волк, папа!

— Странно, в юности ты был очень даже компанейским парнем.

— Это было в прошлой жизни, папа. За те годы, что я играл, я отвык от компаний, я практически не пил... А теперь мне всего этого просто не хочется.

— А чего тебе хочется, сын?

— Не знаю, как-то нет у меня никаких выраженных желаний. В юности их было море...

— Но главным, по-моему, было желание свалить в Америку.

— Да, пожалуй.

— И как? Не пожалел?

— Да нет, пожалуй. Хотя в последнее время там довольно противно. Мне когда-то один чрезвычайно умный человек сказал, что главная беда Америки — среднее образование. Оно находится на чудовищно низком уровне, а люди, прошедшие эту школу, потом будут выбирать американского президента, фигуру значимую во всем мире. Ну, и что мы теперь видим?

— И кто был этот мудрец?

— Один московский ученый с мировым именем. Я тогда еще подумал — он преувеличивает. Но доигрывание показало... Очень высокий коэффициент абсурда...

— Так может вернешься? Неужто еще не нахлебался своей Америки?

— А что я тут буду делать?

— Да хоть те же машинки продавать... У тебя есть куда вернуться, все, что есть у меня — твое, и мне спокойнее будет, я уже старик...

— Да нет, папа, менять жизнь надо, когда на это есть душевные силы. А у меня их нет.

— Господи, Тимка, что ты говоришь?! Когда ты приехал, мне показалось, что ты...

— Знаешь, папа, я сегодня увидел женщину, от которой еще пять лет назад сошел бы с ума, хотя я, кажется, никогда не сходил с ума из-за баб.

— Значит, она тебе понравилась?

— Она — да, но я себе в этой связи не понравился.

— То есть?

— Даже не знаю... Понимаешь, я смотрел на нее и понимал, что она для меня, как бы это сказать... слишком живая, что ли...

— Что за бред! Какого она возраста?

— Слегка за сорок.

— Тимка, она не обратила на тебя внимания?

— Не знаю. Она была вполне мила. Она темно-рыжая и внутри у нее словно все кипит... Когда мы с Венькой подошли к ее дому, она как раз в одном купальнике прыгнула с крыши сарая прямо в сугроб.

— В сугроб? В купальнике? — расхохотался Сергей Сергеевич. — Сумасбродная дамочка! Хотя это, вероятно, большое удовольствие!

Прыгают же люди в прорубь, а это куда круче... Ну а как она в купальнике? Хороша?

— Да, недурна. Я сорвал с себя дубленку и накинул на нее.

— А на руки не взял?

— Взял, конечно, и отнес в дом.

— Слушай, Тимка, а в твоей Америке тебя в такой ситуации могли бы обвинить в сексуальных домогательствах?

— Запросто!

— Вот, а на родине ты спокойно подчинился нормальному мужскому инстинкту — согреть замерзшую женщину. Она не брыкалась?

— Нет, она громко хохотала.

— Ты говорил с ней?

— Недолго. Потом понаехало много гостей, отмечали новоселье в ее доме, шум, тарарам, и я вдруг понял, что мне все это... претит. И я уехал.

— Ты мне не нравишься, сын. Что за мерихлюндии?

— Очевидно, кризис среднего возраста.

— Это все болтовня, выдумки бездельников! Что-то в мое время никто и слыхом не слыхал про этот дурацкий кризис. Время сейчас гнилое какое-то... Знаешь, когда мне стукнуло семьдесят, и в институте отмечали юбилей, кто-то пожелал мне жить до ста двадцати, а я сказал, что совершенно не хочу! Не нравится мне этот мир и уж тем более то, куда он катится! Ну что это? Мужики женятся на мужиках! Стыд и срам! Я знаю, что страшно далек от толерантности...

— Да уж! — рассмеялся Тимур.

— А эти голливудские потаскухи, которые со смаком вспоминают, как тридцать лет назад их кто-то хватал за сиськи, и на этом основании гнобят заслуженных людей! А что это за мужчины, которые не домогаются? Речь вовсе не идет об изнасиловании, это преступление, но... Знаешь, я недавно сказал одной своей коллеге, она моя ровесница, до сих пор красивая женщина, что наверняка нет ни одной мало-мальски привлекательной особы, которую никто никогда не ущипнул бы за задницу. Она задумалась и сказала, что такого не помнит. Мол, никто ее не щипал. Да ты просто не помнишь, сказал я, в те годы никто не придавал глобального значения таким щипкам. И она со смехом согласилась. Из мужиков как будто целенаправленно вытравляют все мужское... Тьфу!

— Папа, ты чего так распалился? — с улыбкой спросил Тимур.

— Потому что меня все это бесит! А ты, сын, элементарно струсил! Понравилась женщина, так действовать надо, а не разводить мерихлюндии. Что это такое в сорок четыре года... Смешно, ей-богу! Нет, даже не смешно, а возмутительно! У тебя есть ее телефон?

— Нет.

— А адрес помнишь?

— Адрес помню, я туда такси заказывал.

— Так поезжай к ней! Я завтра же оформлю на тебя доверенность и бери мою машину! Действуй, мой мальчик, действуй! Авось оживешь, зажжешься от ее огонька!

— Ох, папа! — поморщился Тимур. — Не заставляй меня пожалеть о том, что я приехал!

— Ты сердишься, дружок, а, значит, ты не прав! — невозмутимо заметил Сергей Сергеевич.

— Я, пожалуй, пойду спать.

— Бежишь с поля боя? — прищурился отец.

— Да нет, действительно устал и хочу спать. А боев у нас с тобой, папа, было достаточно в прошлом, больше не хочется как-то.

— Да ладно, я пошутил. Не злись!

— Даже и не думал.

...Утром за завтраком Авдотья Семеновна подала им вареники с гречневой кашей.

— С гречневой кашей? Сроду даже не слыхал о таком. А вкусно! Очень вкусно! — обрадовался Тимур.

— Ешь, Тимка, ешь! Знаешь, я думал о тебе, о нашем вчерашнем разговоре.

— Я польщен, — не без иронии ответил Тимур.

— И вот что я надумал... Если тебе интересно.

— Конечно, интересно.

— Ты живешь там, в этой вашей Америке, по каким-то своим правилам, а тут, тебе кажется, все должны от тебя чего-то ждать... Тут в твоем окружении могут спросить: а чего ты, друг Тимур, в своей Америке добился? Там достаточно сказать — у меня небольшой бизнес — и этого довольно. А тут, видите ли, спрос другой. Вернее, тебе так кажется. Сейчас уже у нас тоже достаточно сказать про небольшой бизнес, поверь мне. А ты комплексуешь! Мол, твоя жизнь не укладывается в рамки прежних интеллигентских представлений. Но ты ошибаешься. Может быть, твоя прежняя ипостась игрока — штука немного... эээ... сомнительная. Но небольшой бизнес уже тянет на полноценно состоявшуюся жизнь. Куда более полноценную и состоявшуюся, нежели научная карьера, тем более, если ты не светишься на телеэкране.

— Папа, я вовсе не комплексую из-за своей жизни, какая ни есть, она только моя. И мне ни за что в моей жизни не стыдно. Так что ты неправ, — улыбнулся Тимур, поразившись проницательности отца, хотя он никогда не признается ему в этом.

— Ну и слава богу! Просто, видимо, я подошел к этому со своей безусловно давно устаревшей точки зрения. Прости, сын! Больше я на эту тему не высказываюсь! Ну, какие сегодня планы?

— Не знаю, наверное, посижу дома. Почитаю.

— Помнишь, как ты любил читать в детстве? Даже фонарик специальный завел, чтобы читать под одеялом? А мама сердилась...

— Я и сейчас много читаю.

— Ладно, тогда я пойду работать. Это единственное, что держит в форме. Встретимся за обедом.

Едва Тимур устроился в кресле с томиком Достоевского, как ему позвонил Вениамин.

— Слушай, Тимка, ты чего вчера удрал?

— Знаешь, я теперь в больших компаниях чувствую себя неуютно. Я выпал как-то... многого просто не понимаю, имена, о которых шла речь, для меня пустой звук, а уж когда столь горячо заспорили о политике... Совершенно не мое! Я вдруг почувствовал себя некомфортно, как говорится, не в своей тарелке. И подумал — зачем? Вот и уехал. Как говорят у вас — ничего личного.

— Понятно! А жаль... Ты очень понравился Сандре. И Лешка от тебя в восторге.

— Приятно слышать. Они мне тоже понравились, мать и сын. Приятные люди.

— И только-то?

— А что ты хотел?

— Честно?

— По возможности! — усмехнулся Тимур.

— После того, как ты завернул Сандру в свою дубленку, я было подумал, что у вас, бог даст, завяжется роман, и ты, блудный сын, вернешься в родные пенаты. Чем черт не шутит!

— О! У тебя слишком бурное воображение.

— А это было красиво! Просто сцена из фильма: рыжая красавица прыгает с крыши в сугроб, а красавец-брюнет вылавливает ее из снега, и, завернув в свою шубу, на руках несет в дом... Красотища!

— В самом деле, сценка из кино... — засмеялся Тимур. — Но я просто испугался, что женщина простудится, только и всего.

— Тимка, я же не обвиняю тебя в этом вашем харассменте, чего оправдываешься!

— Даже не собирался. Вень, а ты скажи, она не обиделась, что я так уехал?

— Нет, нисколько. Просто удивилась. А хочешь, позвони ей и объясни. Извинись.

— Ну вот еще! Не за что мне извиняться!

— Ну, как угодно! Ладно, брат, я дико не выспался. Этот симпатяга Ларс почему-то все время сдергивал с меня одеяло. А при этом его хозяева дрыхли в той же комнате.

— Видно, ты ему понравился. А пес и вправду очень славный.

— Между прочим, через полчаса после твоего отъезда приехал один еще школьный приятель Сандры и подарил ей на новоселье потрясающего попугая! Огромного, красивого, и Борис утверждает, что попка говорящий. Сандра была в восторге!

— Рад за нее. А какого цвета попугай?

— Белый с розоватым налетом. Ну все, я пошел спать. Завтра созвонимся.

И Вениамин повесил трубку.

Тимур вдруг отчетливо увидел, как Сандра подходит к большой клетке, открывает дверцу, протягивает попугаю на ладони большую виноградину, и приговаривает: «Бери, бери, милый! Это вкусно!» Попугай одной лапкой берет ягоду и начинает клевать.

Вениамин сказал, что после завтрака все гости разъехались. И Тимуру вдруг нестерпимо захотелось увидеть эту «рыжую ведьму» и ее белого попугая. Она вчера досадовала, что в доме нет мороженого и никто из гостей не догадался привезти. А что, отличный предлог! Вот сейчас куплю побольше мороженого и махну к ней! Авось повезет и там никого постороннего не будет. Она, конечно, поймет, что я... что она мне нравится. Ну и что? Она свободная женщина, и я вовсе не собираюсь сразу тащить ее в постель... а впрочем, как получится, подумал он и сердце вдруг оборвалось.

Он постучал к отцу в кабинет.

— Войдите!

— Папа, я, пожалуй, поеду в город.

— Поезжай, чего дома торчать! Ночевать вернешься?

— А что ж мне, в Александровском саду ночевать?

— Ну, почем я знаю, куда и к кому ты едешь! — лукаво улыбнулся Сергей Сергеевич. — Но если вдруг тебе будет уютно в Александровском саду, то позвони мне, чтобы я не волновался.

— Непременно, папа!

Александрина вместе с приходящей уборщицей привела дом в порядок, заказала по Интернету корм для попугая. Какой красавец! И возни с ним немного. И милый такой... Его надо как-то назвать... Лучше всего... О! Назову его Тимуром! Тот тоже красавец, но, по-видимому, тоже попка-дурак! Чего вдруг сорвался? Мне показалось, мы понимаем друг друга, и когда он нес меня в дом... Мне так это понравилось... А я ведь почти ничего о нем не знаю. Расспрашивать Веньку было как-то неудобно, мало ли что он подумает. Но мне давно никто так не нравился, если быть честной с собой. Главное, мне так хотелось написать его портрет! Такое интересное, необычное лицо, и не в том дело, что красивое, это лицо словно слеплено судьбой... Вот как бывает... актер только еще вышел на сцену, ты еще ничего не знаешь о сюжете, а тебе уже видна судьба этого человека. Так и тут. Он эмигрант... Он там даже прижился, ему там удобно, он приспособился, но душа его в постоянном смятении... Он приехал на родину, к отцу, для него это был непростой шаг... Он вовсе не человек мира, нет. Только хочет таким казаться.

В этот момент она услыхала, что к дому кто-то подъехал. Машина посигналила. Сандра глянула в окно. Из желтого такси вылез мужчина с какими-то пакетами в руках. Кто это? Мужчина посмотрел на дом. Тимур! Это Тимур! Приехал! И выжидательно смотрит на дом. Не отпускает такси.

Не задумываясь, Сандра распахнула окно мастерской и замахала руками — заходи, мол!

Он помахал в ответ и стал расплачиваться с водителем.

Александрина мельком глянула в зеркало и побежала вниз, открывать. Сердце бешено колотилось. Нет, он вовсе не попка-дурак! И пусть сам придумает имя для моего попугая!

— Тимур! Здравствуйте! Какой вы молодец, что приехали! Я рада, заходите!

Она так его встретила, что Тимуру сразу стало легко.

— А я вот привез вам мороженое! Вы же вчера сетовали...

— Мороженое? Вот здорово! Обожаю мороженое! А вы? Да вы раздевайтесь, нет, обувь снимать не нужно, полы же каменные... Вы голодны?

— Нет, нет, нисколько...

— Тогда может сразу мороженого поедим? И вы не за рулем, у меня осталась бутылка чудесного грузинского вина, вы как?

— Я с удовольствием. Знаете, я привез разное... И ванильное, и шоколадное, и крембрюле...

— Я все эти сорта люблю! Я сейчас!

Она поставила на стол большие плоские вазочки мутно-голубого стекла и такие же бокалы.

— Тимур, берите сами, не стесняйтесь! И откройте вино.

— «Твиши»? Ой, это что-то чуть ли не из детства. Мама любила «Твиши» и... было еще одно грузинское в этом же роде... А, вспомнил, «Тетра»! Надо же...

— Знаете, я вообще люблю все грузинское... Ой, простите... — вдруг спохватилась она.

— Ничего страшного, — засмеялся он, — так что еще вы любите грузинское?

— Вина, кухню, грузинскую живопись, кино... А ваша матушка, она была из каких армян?

— Из тбилисских, — опять улыбнулся он.

А она вдруг залилась краской.

— Не обращайте внимания, рыжие легко краснеют. Тимур, — вдруг словно решившись на что-то, спросила она. — Вы почему вчера смылись, и почему приехали сегодня?

— Я приехал потому что...

— Вспомнили про мороженое?

— Пожалуй. Я вспомнил, и у меня появился предлог... Как-то так... Ну а почему я вчера уехал...

— Вам было неуютно в незнакомой большой компании, да?

— Да, — просто согласился он.

И молча уставился на нее.

— Скажите, Сандра, вы сигаете с крыши в сугроб, обожаете мороженое, вчера я заметил, что вы почти все пьете со льдом, вы так охлаждаете свой внутренний жар, да?

— Не думала об этом. Просто не признаю ничего теплого, — либо горячее, либо холодное... Если это щи, они должны быть огненные, если окрошка, то ледяная. А щи комнатной температуры или окрошка... это гадость!

— Согласен с вами! Это гадость! — рассмеялся он.

— Тимур, мне вчера подарили дивного попугая, редкой красоты, я потом вас с ним познакомлю.

— Весьма польщен!

— Я никак не могу придумать ему имя, вы не поможете?

— Он что, еще птенец?

— О нет! Вполне взрослый птах!

— Так у него должно быть имя. Вам не сказали?

— Вроде бы нет, не сказали. У нас как-то принято звать попугаев Кешами. Может, он тоже Кеша?

— А он говорящий?

— Сказали, да.

— Тогда надо у него спросить.

— Спросить? У попугая?

— Конечно!

— А вы что, говорите на попугайском? — фыркнула Александрина.

— Ох, на каких только языках я не говорю! Могу попробовать и на попугайском!

— Тогда идите наверх, он там, а я пока уберу со стола.

Тимур кивнул и пошел наверх.

Попугай сидел в точно такой клетке, которую представлял себе Тимур.

— Привет, Кеша!

— Дуррак! Дуррак! Я Тимурр! Я Тимурр!

Тимуру стало так смешно, что он согнулся пополам.

Тут как раз появилась Александрина.

— Что с вами? Чего вы хохочете?

— Его зовут... его зовут Тимур!

— Что? Вы шутите?

— Смотрите сами. Привет, Кеша!

— Дуррррак! Дуррак! Я Тимурр!

Сандра тоже покатилась со смеху.

— Нет, надо же... Тимур! — хохотала она.

— Да, неожиданно. Но до чего умен!

— А ты жопа! А ты жопа! — заорал попугай.

— Так, интересно... Боюсь, в его лексиконе много ненормативных выражений. Но хорош!

Сандра, отсмеявшись, подошла к стоявшей на подоконнике вазе с фруктами, отщипнула несколько виноградин, потом открыла дверцу и на ладони протянула попугаю одну крупную ягоду.

— Возьми, милый, это вкусно!

— Я милый, очень милый! А ты жопа!

— Неблагодарная птица! — заметил Тимур.

— Птица, птица, сам ты птица, я Тимур!

— Боже, я всегда мечтала иметь говорящего попугая... Я просто в восторге! Интересно, он еще много слов знает? Я буду держать его здесь, в мастерской, а то мало ли, придет кто-то с детьми...

— Думаете, дети не слыхали слова жопа? — улыбнулся Тимур, совершенно очарованный.

— Знают, конечно, но он может выдать что-то и похлеще.

Попугай между тем занялся виноградом и, держа ягоду в одной лапке, поклевывал ее неторопливо и даже изящно.

— Сандра, вы не поверите, но когда сегодня Венька сказал мне про попугая, я сразу представил себе именно такую картину...

— Какую?

— Как вы протягиваете попугаю виноградину на ладони, он берет ее одной лапкой и...

— Хотите сказать, вы ясновидящий?

— Вообще-то нет, но тем не менее...

— Тимур, хотите кофе? У меня тут хорошая кофеварка. Я, когда работаю, люблю пить кофе...

— С удовольствием.

— Вам какой? Эспрессо, капучино, латте?

— Если можно, двойной эспрессо.

— Я почему-то так и думала.

— У вас не так много картин здесь.

— Да, я просто еще не все перевезла.

— У вас удивительные портреты! Довольно беспощадные, я бы сказал... Вы только портреты пишете?

— Нет. Но кормят меня именно портреты. Пейзажи и натюрморты продаются куда хуже. Тимур, я не люблю говорить об этом. Лучше вы... расскажите о себе. Я же ровным счетом ничего о вас не знаю. Только что вы живете в Америке.

— А вы бывали в Америке?

— Да, дважды.

— Понравилось?

— Многое понравилось, но жить там я ни за что бы не хотела.

— Почему?

— Не мое!

— А где бы вы хотели жить?

— Там, где живу... — пожала плечами Сандра. — Вы живете в Нью-Йорке?

— Теперь да. А раньше где только не жил, даже в Лас-Вегасе.

— Господи, как там можно жить? И чем вы там занимались?

— Играл. Я был профессиональным игроком.

Она смотрела на него с искренним недоумением.

— А что это значит — профессиональный игрок? Шулер?

— Боже упаси!

— Есть такая профессия? Игрок? Никогда раньше не слышала.

— Профессии, пожалуй, нет, а игроки есть, — улыбнулся он. — У меня обнаружился такой дар, я мгновенно просчитываю все. Однажды мне очень хорошо заплатили за то, чтобы я больше не играл в этом казино. Вас это шокирует, Сандра?

— Шокирует? Нет. Нисколько! Просто я никогда ничего подобного не слышала. Это что же, такие математические способности?

— Ну да, в некотором роде. Только не говорите, что я мог бы использовать свои способности в науке. Мне это было неинтересно. Хотя я окончил мехмат.

— Но вы вначале сказали, что...

— Да, я покончил с этим.

— Значит, вы очень сильный человек.

— Я польщен такой оценкой, но дело в том, что у меня не было зависимости... Я контролировал себя почти всегда. И в какой-то момент понял, что могу скатиться в зависимость. И бросил. А теперь я... у меня небольшой бизнес...

Она заметила, что он напрягся. Ему не хочется говорить о своем бизнесе.

— Ох, вы молодец! — улыбнулась она. — У вас характер.

— Польщен! Сандра, а знаете, может, это прозвучит странно... Но я приехал в Москву в некотором роде благодаря вам.

— Это как?

— Я прилетел на Рождество в Париж, я сам много лет назад придумал себе такую традицию — летать на Рождество в Париж. Мне казалось, это так романтично, так интересно... Но в этот раз меня все там до крайности раздражало, даже бесило. Я зашел в кафе и увидел

красивую парочку, парня и девушку, и вдруг
парню позвонила русская мама...

— Это были Лешка с Викой?

— Да. И я вдруг подумал — у меня в Москве отец. Мы расстались в ссоре много лет
назад. Он старый, кто знает, сколько ему осталось... И я позвонил ему... Он так обрадовался!
Ни упреков, ни обид, только радость. И я решил лететь. А билет нашелся только благодаря
тому, что Лешина девушка осталась в Париже.
Вот как-то так. У вас чудесный сын, Сандра.
Да еще и мой школьный друг оказался одним
из «батьков».

— Да, какие в жизни бывают совпадения!
А батьки... Не знаю, как бы я растила Лешку,
если бы не они. Удивительные люди. Все! Настоящие. Хотя годы были ох какие трудные,
людей испытывало на излом... А они не сломались. И выстояли. И все нашли себя и помогли
мне. Я осталась совершенно одна с двухлетним
сыном. Ни родни, ни подруг... Мама тогда работала за границей, с мужем... Мне за работу
платили копейки. Слава богу, хоть жилье было.
Двушка. Одну комнату я сдавала. Оставлять
ребенка было не с кем. Так парни скинулись и
нашли для Лешки какой-то дорогущий детский

садик. Я когда узнала, сколько он стоил, чуть с ума не сошла. А потом к девушке, которой я сдавала комнату, явился ее ухажер, устроил ей скандал, начал все крушить. Я схватила Лешку и девушку, мы выскочили из квартиры, спрятались у соседей, а его заперли в квартире и вызвали милицию. Это была еще милиция... Но никто не приехал, а этот тип, поняв, что заперт, видимо, здорово перетрусил и выпрыгнул в окно с четвертого этажа.

— Разбился?

— Только ногу сломал. Орал как резаный, угрожал своей девушке, и мне заодно, но я успела позвонить Игорю, он примчался. А «скорая» тоже все не ехала. Так Игорь посадил буяна в свою машину, отвез в больницу, но, видимо, по дороге хорошо поговорил с ним. Больше ни я, ни его девушка о нем не слышали.

— То есть... Игорь убил его? — ахнул Тимур.

— Боже упаси, что вы такое говорите! Игорь объяснил ему, что так себя не ведут. Я подробностей не знаю, но только я года через два видела этого голубчика по телевизору, он баллотировался в Думу. Просто у Игоря дар убеждения.

— Ничего себе! — засмеялся Тимур.

— И кстати, именно Игорь убедил меня бросить юриспруденцию и заняться живописью. И он ездил со мной в Измайлово, я стеснялась сама продавать свои картинки... А потом брал какие-то мои небольшие работы во все свои заграничные поездки и пытался там продавать их в какие-то мелкие галереи.

— Это была любовь?

— Нет. Просто эти парни умеют дружить. Когда Игорь внезапно заболел, у него было что-то с легкими, Марик отволок его к своей тетке аж в Уссурийск. Тетка — замечательный врач, лечит травами, и через год Игорь вернулся совершенно здоровый. И таких историй — тьма. Тимур, а у вас в Америке есть друзья?

— Друзей, пожалуй, нет, есть приятели.

— Это грустно. Я считаю, дружба в жизни важнее любви.

— Даже так? Простите, если вам тяжело, не отвечайте, отчего умер ваш муж?

— Да нет, Тимур, уже столько лет прошло... Он разбился на автогонках. Любил бешеные скорости. Я умоляла его быть осторожнее, а он... И я по сей день не могу ему этого простить. Угробил себя ради прихоти, хотя знал, что у него есть сын...

— И вы больше не вышли замуж? Такая красивая женщина?

— Спасибо за комплимент. Нет, не вышла. Смысла не вижу.

— Ну, чтобы не быть одной?

— Знаете, с такими друзьями я не чувствую одиночества. А романы случались. Но всякий раз я убеждалась, что связывать свою жизнь еще с кем-то не хочу. Ну а вы, Тимур, вы женаты? У вас есть дети?

— Ни жены, ни детей, насколько мне известно, — улыбнулся он.

— Я не женат, я не женат, и потому я не рогат! — закричал попугай.

— Ничего себе текст! — ахнула Сандра.

— Видимо, его прежний хозяин был закоренелый холостяк, — заметил Тимур. — Да, с таким парнем не соскучишься!

— Ссучились, все ссучились!

— Господи, помилуй! Интересная мысль — написать детектив, где профайлер составляет профиль убийцы по речам попугая. Супер! — хохотала Сандра.

— Да, забавно... Послушайте, Сандра, вы были на рождественском базаре на Тверской, там, где Юрий Долгорукий?

— Нет, не была. А что там такое?

— Там здорово! Весело, красиво, и очень вкусно! Кухня разных стран!

— Да? Вы что, приглашаете меня?

— Ну да! Погуляем, посмотрим, перекусим?

— Сегодня?

— Можно и сегодня!

— Очень заманчиво. Но давайте лучше завтра. Я не выспалась. Да, лучше завтра.

— Завтра так завтра! Тогда предлагаю встретиться в городе, прямо там. Хотя нет, там мы можем потеряться. Давайте на углу, у книжного магазина.

— Давайте. В котором часу?

— Это вам решать.

— Хорошо. В час дня вам удобно?

— Вполне. Отлично, значит, договорились. Я сейчас вызову такси. Пора к отцу.

— Ну что ж, не смею задерживать. Рада была вас повидать. Тем более, что вы знаете попугайский! Выяснили, что тезки с моим попугаем.

Такси приехало через десять минут. Сандра вышла проводить его до машины.

— До завтра, Тимур!

Он ехал к отцу с каким-то удивительно приятным ощущением. Они так хорошо поговорили... Она была сегодня совершенно другая. Теплая, мягкая, понимающая, какая-то домашняя. И в сугроб не прыгала. Совершенно не назойливая. И никакого жеманства. Тимур терпеть не мог жеманниц. И как мило и естественно приняла приглашение... А ведь это... свидание... Или нет? О, это будет зависеть от меня. Интересно, какая она будет завтра? Я видел ее только у нее дома. Но как бы там ни было, перспектива завтра погулять по Москве с прелестной женщиной бесконечно радовала его.

— Ну, как погулял, Тимка? Вижу, доволен!

— Да, папа, очень, очень доволен. Ну, а как ты?

— Все путем, Тимка. Знаешь, с тех пор как ты приехал, я, как ни странно, чувствую себя лучше и даже моложе. Я хорошо, плодотворно поработал. И я видел сегодня снегиря на мамином кусте. Хотя ягод там почти не осталось, они все склевали...

— Жаль, я не видел.

— А в Нью-Йорке есть снегири?

— Не знаю, ни разу не видел, но, может, и есть.

— Скажи, Тимка, а ты часом не завел себе тут даму?

— С чего ты взял?

— Глаза у тебя какие-то мечтательные...

— Да нет, папа, просто я радуюсь свиданию с родным городом.

— Ну-ну.

Вечер они провели вдвоем, то погружаясь в воспоминания, то обсуждая последние новости. И было так хорошо, так уютно... И Тимур пошел спать с каким-то даже благостным чувством, которое пытался как-то сформулировать для себя, но так и не смог.

А проснувшись утром, он вспомнил и сформулировал: мне здесь, в Москве, уютно! И с отцом уютно, и с Сандрой вчера тоже было уютно. Я как-то забыл это слово... Оно совершенно неприменимо к моей американской жизни. Мне там, пожалуй, никогда не было уютно. Может, потому что я сам не нуждался в уюте. А сейчас, видно, постарел...

На завтрак были какие-то волшебные воздушные сырники со сметаной.

— Боже, как вкусно! Авдотья Семеновна, вы волшебница!

— Кушайте, Тимур Сергеевич, кушайте!

— Спасибо, я и так целую гору съел, но удержаться сил нету!

И опять это волшебное ощущение уюта... И сегодня я увижу Сандру!

— Я сейчас еду в город, — заявил Сергей Сергеевич. — Могу тебя подбросить.

— А точнее когда?

— Через полчаса.

— Я с тобой!

— У тебя какая-то встреча?

— Да.

— С кем, если не секрет?

— С одной женщиной...

— Это с той, из сугроба?

— Да, папа, с той, из сугроба!

— Вот и молодец! Я убежден, что вчера ты был у нее. Ты вернулся совершенно другим человеком. Без мерихлюндий.

Тимур рассмеялся.

— Пожалуй, ты прав!

— Я заметил, что у тебя любимое слово «пожалуй». Это говорит о том, что ты как-то не уверен в себе, в своих суждениях.

— Да нет, пожалуй, это просто фигура речи.

— Ага, опять «пожалуй»! Скажи, а ты в Америке часто говоришь по-русски?

— Бывает. Не так уж редко. А почему ты спросил?

— Да так... просто так. Куда тебя подвезти?

— На улицу Горького.

— На Тверскую, сын!

— Да, да, на Тверскую, к Пушкинской площади, если это тебе удобно.

— Вполне. Да, вот, возьми!

Сергей Сергеевич протянул сыну связку ключей.

— Что это?

— Ключи от московской квартиры. Вдруг понадобятся.

— Папа!

— Да мало ли, пусть у тебя будут ключи от квартиры, в которой ты вырос. Я там практически не бываю. Мне там как-то неуютно стало... То ли дело на даче!

— Что ж, спасибо!

— И будь добр, если задержишься, позвони.

— Хорошо, папа, непременно.

— Неправильно отвечаешь!

— А как надо? — засмеялся Тимур.

— Ладно, папа, пожалуй, позвоню!

Сергей Сергеевич высадил его на углу Страстного бульвара и Тверской. На часах была половина первого. Тимур медленно побрел в сторону книжного магазина «Москва». И, так как время позволяло, заглянул в Елисеевский магазин. Да, помещение роскошное... А вот ассортимент не сильно отличается от других крупных магазинов. Все есть, но это «все» как-то не очень соответствует уровню этого помещения. Если б я был тут хозяином, я бы все по-другому устроил... А впрочем, я ведь совершенно не знаю, стал бы пользоваться спросом какой-то люксовый товар, какая-то экзотика... Вот уж точно, Тимурчик, не лезь ты со своим суконным рылом... Но в том-то и беда, что ряд тут недостаточно калашный...

Он вышел на улицу и побрел к Юрию Долгорукому. Встал на углу. Без двух час. Сандры нет. А я ведь не знаю, может она непунктуальна, может, придется ждать ее долго, а погода сегодня неважная, сыро, промозгло.

— Тимур! Извините, я опоздала немножко!

— О, Сандра!

Изящная черная шубка, он не разбирался в мехах, а на голове оренбургский белый платок. Она выглядела очаровательно.

— О! Это оренбургский платок?

— Да.

— Знаете, я за эти дни не видел ни одной женщины в оренбургском платке... А это так красиво!

— Сейчас это как-то немодно, а я люблю, и мне плевать на моду! Ну, куда мы идем?

— А вот сюда! Вы не замерзли? Может, начнем с глинтвейна?

— О, с удовольствием! Последний раз я пила глинтвейн в Мюнхене года три назад. Возила Лешку на Рождество в свой любимый город... Вы бывали в Мюнхене?

— Нет, не случилось как-то.

— А я его обожаю! Он такой уютный! О, а тут глинтвейн не хуже! Вкусно! Спасибо, Тимур, что вытащили меня... Я сто лет нигде не была, так погрузилась в строительство дома.

— Вы его именно строили? Не купили?

— Нет! Строила, с нуля. Я его строила для себя, квартиру оставила Лешке, он уже большой... Ну, вы же видели, какая там у меня мастерская... Мечта всей жизни, но на это ушли все силы и практически все деньги. Слава богу, у меня много заказов. После пятнадцатого опять впрягусь в работу... Знаете, Тимур, я в мечтах видела свой дом именно таким... И чтобы очень-очень много снега, а еще чтобы снегири прилетали и вообще всякие птицы... Но снегирей пока не видела, только синички...

Потом они ели какие-то удивительные оладушки сиреневого цвета из черемуховой муки. Потом спустились к Столешникову переулку, побрели по Петровке, свернули на Кузнецкий мост.

— А все Кузнецкий мост, и вечные французы, оттуда моды к нам и авторы и музы, губители карманов и сердец... — процитировал Грибоедова Тимур.

Сандра засмеялась.

— Знаете, в начале девяностых тут, кроме книжных, везде было хоть шаром покати... Бисквитных лавок не наблюдалось. И я всегда со смехом вспоминала эти строчки. А куда мы, собственно, идем?

— Не знаю, просто бродим... А вы устали, да?

— Нисколько! Я так давно не гуляла по Москве без всякой цели... Хорошо, черт возьми. А пошли на Никольскую, там, говорят, особенно красиво. Дойдем до ГУМа, и там съедим мороженое?

— Мороженое? Почему в ГУМе?

— Ох, там мороженое, как в детстве!

— Пошли!

Идти с ней было необыкновенно приятно. И уютно!

— Это Никольская? Ничего не узнаю! — воскликнул Тимур. — Я помню, в детстве тут где-то была аптека Феррейна... Что-то я ее не вижу.

— Да нет, должна быть... А впрочем, бог с ней! Сейчас праздники и все так красиво!

— Сандра, вы не проголодались?

— Когда я могла успеть? После лиловых блинчиков! Ой, а вы наверное хотите чего-то посущественнее?

— Да нет... меня еще с утра кормили какими-то волшебными сырниками, я столько слопал...

— Кто вас кормил?

— Домработница моего отца. А вчера я ел вареники с гречневой кашей, вы слыхали про такое?

— Нет, никогда. И это вкусно?

— Очень! Просто очень!

Вот так, болтая, они дошли до ГУМа, где к палатке с мороженым вился длинный хвост китайцев.

— Господи, сколько их! — поразился Тимур. — В Нью-Йорке их тоже много, но тут такая концентрация...

— Выяснилось, что китайцы обожают наше мороженое. Но мы тут стоять не будем. Эта палатка совсем близко от входа, пошли дальше!

И действительно, вскоре они обнаружили палатку, к которой стояло от силы пять человек.

— Вы какое хотите, Сандра?

— Сливочное... Хотя нет, лучше эскимо!

— А я, пожалуй, возьму шоколадное...

Они обнаружили неподалеку лавочку. Сели рядышком.

— Ох, и вправду, как в детстве! Надо же! — обрадовался Тимур. — А эскимо как?

— Хотите попробовать? — и она протянула ему свое эскимо, как-то просто, как будто они были добрыми школьными приятелями.

Он откусил кусочек эскимо.

— Ох, какая прелесть! А вы мое попробуйте!

Она лизнула его мороженое.

— Вкусно!

И они принялись хохотать как расшалившиеся школьники.

— Предлагаю взять еще! — заявил Тимур. — На сей раз я возьму эскимо. А вы?

— Крем-брюле!

— Сидите и сторожите место! Я сейчас!

Он вскочил и пошел к палатке.

Как он мне нравится, подумала Сандра, совершенно очаровательный тип! И эти почти черные глаза... И с ним просто... И никакого нахальства...

Боже, какая женщина, думал Тимур, стоя в небольшой очереди. С ней так хорошо, просто... уютно. И не ждешь подвоха...

Он вернулся к ней.

— Вот, крем-брюле было последнее.

Он сел рядом с ней.

— Скажите, Сандра, у вас что, нет никаких родственников, кроме сына?

— Считайте, что нет. То есть, у меня есть сестра, на четыре года старше. Но она давно живет в Германии, и мы с ней не поддерживаем отношений. Чужие люди.

— Как это возможно?

— Очень даже возможно. Она всю жизнь меня терпеть не могла.

— Господи, за что?

— Она не простила мне моего появления на свет.

— Ревновала?

— Ну да. Ей было четыре, когда я родилась, так она все время пыталась как-то меня извести. То окно в мороз откроет, когда никто не видит, то еще что-то... Мне бабушка рассказывала. А потом родители развелись, и отец ее забрал с собой в новую семью. Да ну, не хочу я о ней говорить.

— Вы расстроились? Простите мою бестактность.

— Ладно, прощаю, — улыбнулась Сандра.

— А как там мой тезка? Какие еще перлы выдает?

— Да как-то без вас все больше помалкивает.

— Ну что, Сандра, что дальше делать будем?

— На ваше усмотрение!

— Тогда предлагаю пойти сейчас пешком куда-нибудь, имея целью какой-нибудь хороший ресторан. Часика за полтора-два, думаю, нагуляем аппетит. Я в первый день был с отцом в «Пушкине», может, туда?

— Да ну его, туда не хочу!

— Но я не знаю московских ресторанов.

— О! Я придумала! Я давно хотела туда попасть, но там проблемы с парковкой, а поскольку мы на своих двоих...

— И что это?

— Это заведение называется так же, как мой любимейший мюнхенский ресторан, — «Шпатенхаус». Я видела его...

— А где он?

— Не помню точно названия переулка, но надо идти вверх по Тверской! Это в районе Триумфальной площади.

— Триумфальная — это...

— Площадь Маяковского.

— О! Пошли!

Они вышли и он решительно взял ее под руку. Первый раз за сегодняшний день.

— Тимур, а почему вы уехали в свое время?

— Я рвался в Америку! Мне казалось, это какой-то другой мир, что-то вроде города Солнца...

— Но город Солнца — это утопия! — со смешком заметила Сандра.

Он обрадовался. Женщины, с которыми он обычно имел дело, понятия не имели о Томасе Море.

— Я это понял, но не сразу. И чем дольше я там живу, тем дальше этот мир от того, что я представлял себе в юности. Как-то так, дорогая моя Сандра.

— Так возвращайтесь! Что вас там держит? У вас же нет семьи! — пылко сказала она.

— Ну, у меня там бизнес... И я уже врос во все это...

— А какой у вас бизнес?

Он помедлил с ответом.

— Это что-то... криминальное?

— Боже упаси! — как-то хрипло рассмеялся он. — Нет. У меня четыре магазина в разных городах, там продают модели машинок.

— Модели машинок? Это такие крохотные копии взрослых машин?

— Именно!

— Какая прелесть!

— Вы находите?

— Конечно! Лешка когда-то собирал такие модельки, у него было штук сорок, наверное.

Они дорогущие бывают! Помню, Марик как-то привез Лешке модель старинной «испано-сюизы», кажется, у Козлевича была именно «испано-сюиза», да?

— Да! Именно!

— В Москве одно время тоже был такой магазин, но, кажется, прогорел... А это приносит доход?

— Ну, в общем... Скорее, да, — облегченно засмеялся Тимур.

Она вдруг остановилась, посмотрела ему в глаза. Взяла за руку.

— Тимур, вы что, стесняетесь своего бизнеса, да? Здесь, на родине, вам западло говорить, чем вы занимаетесь?

— Ну, если честно...

— Все! Молчите! И послушайте меня. Это все ерунда! Каждый зарабатывает на жизнь как умеет, если он при этом никого не грабит. А если он еще и получает от этого удовольствие, то тем более! Значит, он счастливый человек! А вы наверняка сами обожаете все эти модельки, иначе вы бы этим не занялись, правда?

— Правда!

Он был ошеломлен страстностью ее монолога.

— Но как... как вы поняли... угадали?

— Просто почувствовала. Я иногда умею угадывать чужие мысли. Особенно если этот человек мне интересен. А вы мне интересны.

Он только беспомощно улыбался. Но вдруг схватил ее за руку, притянул к себе, обнял и поцеловал в губы на виду у всех. Она ответила на поцелуй, но тут же оттолкнула его.

— Не надо! Не люблю поспешности в таких вещах...

— Простите!

— Прощаю!

— Вы знаете, что вы чудо?

— Знаю! — засмеялась она. — А вы — чудак!

— Скорее — мудак! — хмыкнул он.

— И это тоже! — уже хохотала она.

Ему и раньше было с ней легко, а сейчас и вовсе хотелось взлететь. Он был уже по уши влюблен!

Ресторан «Шпатенхауз» оказался закрыт.

— Ну вот, в кои-то веки добралась сюда... — огорчилась Сандра.

— Да ну, ерунда, тут кругом рестораны, пошли в любой, неважно, есть уже хочется, —

смеялся совершенно счастливый Тимур. Он давно ничего подобного не испытывал.

— В самом деле, — улыбнулась Сандра, — подумаешь, есть из-за чего расстраиваться... А пошли вот сюда?

— Но это больше похоже на забегаловку!

— Ну и что? А вдруг там вкусно?

— Пошли! Рискнем!

Похожее на забегаловку кафе оказалось вполне уютным. И пахло там приятно.

— Девушка, что у вас самое вкусное? — весело блестя глазами, спросила Сандра.

— Пельмени! — не задумываясь ответила официантка.

— О! Хочу пельменей! Обожаю! — захлопала в ладоши Сандра. — А вы, Тимур?

— Я даже не знаю. Я их не ел ни разу с тех пор, как уехал. Ладно, была не была, давайте пельмени. И водки, пожалуй. Да?

— Конечно! А еще вот тут у вас есть селедочка, пока пельмени будут вариться, дайте нам селедки с картошкой!

Тимур рассмеялся.

— У меня уже слюнки текут.

— Погодите, — отмахнулась от него Сандра, продолжая разговор с официанткой. —

Значит, картошку посыпьте укропом. А к пельменям подайте сметану, уксус и черный перец. И еще какого-нибудь лимонаду.

— Тархун пойдет?

— Пойдет!

— Что вы так на меня пялитесь? Да, у меня жутко плебейские вкусы!

— У вас за ужином я этого не заметил.

— Да это все выпендреж для гостей! А мой день рождения мы с Лешкой отмечали сосисками с пивом и воблой!

— С ума сойти! Да я, собственно, уже и сошел.

— То есть?

— Я от вас с ума схожу! Вы удивительная... мне такие женщины не встречались...

— Ой, мамочки, как у вас глаза-то горят!

В этот момент у нее зазвонил телефон. Она глянула на дисплей и сбросила звонок.

— К черту!

Им подали селедку с картошкой, действительно щедро посыпанной укропом. Водка была холодная, в запотевшем графинчике.

— За что пьем? — спросила Сандра.

— За встречу!

— Банально, но в самую точку!

Звонок повторился.

— Ах черт! Надо ответить... Алло! Я сейчас занята! — раздраженно бросила она в трубку. — Ну как ты не поймешь, я занята! Да, работаю! Позвони мне... завтра вечером. Там будет видно. Все, пока!

— Это ваш любовник звонил?

— А если и так?

— Он моложе вас, влюблен как ненормальный, все время чего-то требует и уже вам надоел. Я прав?

— Правы, но как вы догадались?

— А я почему-то так и думал... ну, что у вас наверняка есть любовник и он младше вас. Но вам пора его бросить. Это же был... компромисс, да? Что называется, для здоровья, да?

— А вы с ума не сошли? Что вы такое несете, что вы о себе возомнили? — рассердилась Сандра.

— Да, я сошел с ума, я уже говорил вам об этом. Я сошел с ума ровно в ту минуту, когда вы сиганули в снег. И зачем вам какой-то мальчишка?

— Он вовсе не мальчишка и он моложе меня всего на три года. С мальчишкой я никогда бы не связалась, я не извращенка.

— Сандра, дорогая моя, я вовсе не хочу с вами ссориться, я просто забыл... а, может, никогда и не знал, как вести себя в подобной ситуации. То есть, если бы мы были одни, я бы знал... а так... — он с трудом подбирал слова.

— Ладно, прощаю вашу американскую наглость.

— Почему американскую?

— Потому что наглость — это их национальная черта!

— Вы несправедливы к американцам.

— Да чихать я на них хотела. Вас извиняет только то, что вы совсем не американец! — и она рассмеялась.

Он тоже с облегчением рассмеялся.

— Сандра, а ты не хочешь приехать ко мне в Нью-Йорк? Я свожу тебя на Бродвей, на самый модный мюзикл, и вообще, куда захочешь...

— Ну вот еще! С какого перепугу я вдруг потащусь в такую даль? А мюзиклы я как жанр не люблю. И вообще...

— Но я ведь дней через десять вынужден буду уехать.

— И что? Будешь тосковать, что ли?

— Обязательно буду! А ты? Ты не будешь?

— Откуда я знаю... Не скрою, ты мне нравишься. Красивый очень, я люблю красивые лица... И глаза такие сумасшедшие.

— Сандра, послушай... мы не дети...

— О, а за этим последует: мы не дети, поехали сейчас к тебе или ко мне... переспать...

— Да. Но мы же вправду не дети! И я безумно этого хочу. Безумно. А ты разве нет?

— Чего скрывать, хочу, конечно. Но не сейчас. Завтра. Приезжай завтра с утра ко мне. Я хочу прыгать в снег. Вместе с тобой!

— Что, вдвоем полезем на крышу?

— А тебе слабо?

— Нет! Совсем не слабо! Хорошо! Договорились. А как прыгать будем, до или после?

— Фу! Кто же задает такие вопросы? Только американцы!

— И все-таки?

— Разумеется до! Меня еще надо заслужить!

— Ты что, принцесса Турандот?

— Ну не Турандот, но в некотором роде все-таки принцесса.

— Ага, а разве принцессы лопают пельмени с водкой?

— У принцесс тоже бывают простецкие вкусы. Особенно, если они влюбляются в свинопасов!

— Это я свинопас?

— Да боже упаси! Ты в некотором роде тоже принц, которого злой волшебник превратил в американского бизнесмена средней руки. Со всеми вытекающими, как то: комплексы, рожденные происхождением из рядов советской научной элиты, одиночество, как защитная реакция на отвратительное ханжество, именуемое толерантностью, политкорректностью и прочими пакостями. Ну и страх перед бабами, которые любой теперь уже даже взгляд могут расценить как... оскорбление.

— Да, проницательная дамочка... — горько усмехнулся Тимур. — И беспощадная. Но я среди всех этих обвинений все-таки расслышал слово «принц».

— Молодец! Наш человек! — захлопала в ладоши Сандра. — Да, принц, тебе не кажется, что мы для принца и принцессы несколько староваты?

— Почему? Вон принцу Чарльзу лет до фига и больше! Но пельмени — это и вправду вкусно! А давай закажем еще? Тебя это не шокирует?

— Меня это радует!

— Господи, какая же ты прелесть! Скажи, ты вот пишешь портреты, так сказать, сильных мира сего...

— Не столько сильных, сколько богатых. И что?

— А они не влюбляются в тебя без памяти?

— Да нет, они как правило клюют на совсем юных девочек, желательно дурочек. А я ни то, ни другое.

— А скажи... Вот за все эти годы, после смерти мужа, неужели ты так никого и не любила?

— А тебе зачем?

— Ага, значит все-таки любила! Кого-то из батьков?

— О нет! Был один лет восемь назад... Я его любила.

— Но он оказался...

— Да никем он не оказался! В том-то и беда, что абсолютно никем не оказался. Так, пустое место!

— И ты его любила?

— Любовь зла! Но он даже козлом не оказался. Понимаешь?

— Нет, если честно! Как ты могла полюбить такого?

— Это... иррационально. Померещилось что-то. Но я довольно быстро разобралась, что к чему. И шуганула.

— А он шуганулся?

— Да! Не без удовольствия, я думаю. Ему со мной было тяжело.

— Могу себе представить!

— Тебе со мной разве тяжело?

— Нет. Легко. Даже очень. Только непривычно как-то... Я таких за свои сорок четыре еще не встречал. Но счастлив, что встретил!

— Фу, устала... — заявила вдруг Сандра. — Мы столько всего сожрали и выпили за сегодняшний день, да еще под какие-то полулюбовные бредни... Все! Я выдохлась!

Она достала из сумки смартфон, нажала на какие-то кнопки.

— Через пять минут придет такси. Если не передумал, приезжай завтра прыгать с крыши! Все! Пока!

И не успел он опомниться, как она вскочила, чмокнула его в щеку, натянула шубку и быстро пошла к дверям. Но вдруг вернулась. Вытащила из сумки пятитысячную купюру.

— У вас же там не принято платить за бабу...

— Пошла к черту, дура! — вырвалось у него.

— Уже пошла!

И она исчезла.

После ее ухода он тоже ощутил страшную усталость и тоже вызвал такси.

— Ну, как твоя снежная баба? — со смешком осведомился отец. — Вид у тебя какой-то... измочаленный. Надеюсь, ты хоть получил удовольствие?

— Ах, папа, все не так, как ты думаешь.

— А что, не дала?

— Папа! Об этом сегодня и речи не было! Ох и непростая она штучка. Но хороша! Я, кажется, влюбился!

— Тимка! Да я никогда от тебя ничего подобного не слышал!

— Естественно, я никогда ничего подобного и не говорил! И, кажется, не испытывал. Эта часть жизни была для меня какой-то второстепенной...

— И когда ты теперь с ней увидишься?

— Завтра. Она пригласила меня... попрыгать с ней с крыши.

— Ты согласился?

— Да.

— Но ты же вроде боишься высоты?

— Там ерундовая высота. И потом...

— Ну что ж, сын, попрыгай, дело молодое и, прямо скажем, оригинальное... С крыши в сугроб. Смотри только не простудись.

— Постараюсь.

— Ужинать будешь?

— Нет, папа, спасибо, я сыт! Пожалуй, я пойду спать.

— За сегодняшний вечер ты всего единожды произнес свое «пожалуй»! Кажется, твоя снежная баба хорошо на тебя влияет.

Сандра доехала на такси до своей машины, оставленной на стоянке, села за руль и подумала: ну и денек! Кажется, я могу влюбиться... Да что там, уже влюбилась. Иначе почему я напорола столько всякой чепухи? Черт знает что! Меня просто несло по кочкам... У него такие удивительные глаза... И дивные руки... Да и вообще... Я хочу с ним переспать! Да, хочу! Очень! И вовсе не обязательно прыгать с крыши. Вполне можно сразу прыгнуть в постель! Ладно, там будет видно. Утро вечера мудренее! Фу, сколько я всего сегодня съела, даже живот болит. Нельзя так... Но очень хотелось! Мы оба подорвались на второй порции пельменей! Смешно, ей-богу! Тимур! Ох, у меня же там второй Тимур один! Некормленый! Я хоть и оставила ему корм, но все-таки он там один, бедолага!

Подъехав к своему дому, она опять испытала восторг. Это я! Сама!

Скинув шубу, она побежала наверх в мастерскую. Зажгла свет. Попугай закричал:

— Тимуррру страшно! Тимурру страшно!

— Маленький мой, страшно тебе?

— Страшно трахнул! Страшно трахнул!

— Господи, что ты несешь!

— Трахнул! Трахнул!

— Замолчи, птица! Что ты понимаешь! И вообще, теперь говорят не трахнул, а чпокнул!

Ну все, хватит болтать. Будем делать ночь, как писал Бабель.

И она накрыла клетку темно-синей шалью. Попугай сразу умолк.

Сандру неудержимо клонило в сон. Она хотела принять душ, но сил совершенно не было. Сейчас посплю полчасика, а потом уж помоюсь, сниму макияж... Ее вдруг зазнобило от усталости. Она легла в мастерской на диван, натянула на себя плед и сразу провалилась в сон.

Утром она проснулась совершенно разбитая. Я заболела! Ее мутило, голова раскалывалась, болел живот и горло. Ничего себе погуляла... Она с трудом поднялась, глянула на часы. Восемь. Это я всю ночь продрыхла не раздеваясь? Она с трудом поплелась в ванную. Глянув на себя в зеркало, застонала от ужаса. Господи, на кого я похожа! Она все-таки приняла душ, от горячей воды как будто полегчало... Надо выпить крепкого кофе, тогда приду в себя. Закутавшись в махровый халат, она спустилась в кухню. Нет, сил просто нет. Ох, а ведь должен приехать Тимур. Надо срочно отменить визит. Даже мысль о прыжках с крыши, да и о том, что должно было последовать за прыжками, привела ее в ужас. Запах кофе вызвал тошноту.

У меня температура, наверное, но градусника в доме нет. Она с трудом сделала себе большущую чашку чаю с лимоном. Отпила глоток. Глотать было больно. Ангина, что ли? Ладно, полежу денек-другой, авось оклемаюсь. Надо позвонить Лешке... Хотя нет, у него же сегодня экзамен. Ах да, еще Тимур... Надо отменить... Отправлю эсэмэску. Хотя нет, он может не поверить... И она позвонила. Он откликнулся мгновенно.

— Алло, Сандра! С добрым утром!

— Тимур, прости, но я заболела... Все отменяется.

— Что с тобой? — встревожился он.

— Не знаю, боюсь, что ангина. Сил нет совсем и температура...

— Так, может, нужна помощь? Я приеду? Может, нужны лекарства?

— Нет, спасибо, ничего не нужно. Все есть. Я хочу только спать... Прости меня. Пока!

Он был ужасно разочарован. Он так ясно представлял себе, как они прыгнут в сугроб, а потом... И вот, пожалуйста... И ведь она не врет, у нее совершенно больной голос. Допрыгалась! — с раздражением подумал он.

...За завтраком отец спросил:

— Тимка, ты чего такой хмурый? Не выспался? Или снежная баба растаяла?

— Да, именно!

— Решила продинамить?

— Говорит, что заболела. И, судя по голосу, не врет.

— Тимка, что за дела? Это даже неплохо, что твое рандеву откладывается. Чем ближе к отъезду, тем безопаснее!

— Ты циник, папа!

— Здоровый цинизм в таких делах не помешает, поверь моему опыту.

Сандра проснулась от того, что кто-то звонил в дверь. И кого черт принес? Не буду открывать. У Лешки есть ключи, на остальных — плевать, сил нет. Но кто-то на крыльце уже начал колотить в дверь и одновременно где-то звонил мобильный. Пожар там, что ли? Придется открыть. В дверь продолжали колошматить. Она с трудом встала и поплелась к двери.

— Кто там? — еле слышно произнесла она и поняла, что ее попросту нельзя услышать. Тогда она открыла дверь.

— Господи, что с тобой? — воскликнул мужчина, поспешно закрывая за собой дверь.

— Ты? Зачем ты приехал?

Это был Артем, ее любовник, которого вчера она пыталась отшить по телефону.

— Я почувствовал, что тебе плохо. И вот, не ошибся. У тебя совершенно больной вид! О, температура высоченная... — Он коснулся губами ее лба, обнял за плечи и повел в комнату.

— Тебе надо лежать. У тебя есть градусник?

— Нет. А ты почему не позвонил?

— Я звонил раз сто, но ты не брала трубку. Ты ложись, я позабочусь о тебе.

— Артем, не надо...

— Что значит, не надо? Глупости! Покажи-ка горло!

— Но ты же не лор...

— Знаешь, хирург в состоянии посмотреть горло. Открой рот, скажи «ааа». Все ясно, ангина. А с ангиной шутки плохи. Где у тебя здесь аптечка?

— В ванной, на втором этаже. Тема, ну зачем?

Он бегом взбежал по лестнице и вскоре вернулся.

— Ни черта нужного нет! Вот что, ты лежи, а я мигом смотаюсь на станцию в аптеку.

— Ты на машине?

— Конечно!

— У тебя что, выходной?

— Ну да. И я страшно соскучился. Ты что-нибудь ела сегодня?

— Нет, не хочется.

— Но пить в любом случае надо как можно больше.

— Я пью...

— Дай мне ключи, чтобы тебя не беспокоить.

— Возьми там, где зеркало...

— Я мигом. И буду тебя лечить!

— Ладно, лечи... Тебе положено.

Черт возьми, хорошо, что он примчался. А то одной хворать как-то неуютно. Надо же... Он почувствовал, что мне плохо... Ой, а если бы мне было... хорошо и он увидел бы, как мы с Тимуром сигаем в снег... Что бы он подумал? Собственно, все было бы ясно... И что? Тимур скоро свалит в свою Америку, а я останусь... влюбленной дурой? И буду связываться с ним по скайпу... Нет, все правильно! Сама судьба против такого развития событий. А Артем хороший мужик, внимательный, я вот думала уже, что плохо, когда некому подать этот пресловутый стакан воды... А тут Артем... Ох, спать хочу... Мысли путались, и она опять уснула.

Проснулась она от укола в ягодицу.

— Что ты мне вкатил?

— Антибиотик, все под контролем. Через часок температура упадет. Я нашел у тебя вишневое варенье, развел теплой водичкой. Попей, вкусно.

— Спасибо, доктор.

— Мне завтра на дежурство. Может, позвонить Алексею? Или еще кому-то? До утра я побуду здесь, но к семи мне надо на работу.

— Я надеюсь, до утра мне станет лучше. При таком-то уходе.

Через час температура действительно понизилась. Артем обтер ее, надел чистую пижаму и решительно заявил:

— Сейчас я сделаю тебе омлет. Его легко глотать.

Действительно, он принес ей омлет.

— Это надо съесть. Тебе нужны силы. У тебя бывают ангины?

— С детства не было. Спасибо, Тема, вкусно.

— Как тебя угораздило? Мороженого переела?

— Не сказала бы. А знаешь, мне немного лучше.

— Отлично!

— Темочка, ты сам поешь, посмотри, там в холодильнике много еды.

— Успеется. Скажи, а если б я не приехал, ты бы так и валялась тут одна с температурой?

— Наверное... во всяком случае, до завтра.

— А завтра что?

— Завтра придет домработница.

— А Алексею почему не позвонить?

— У него сегодня экзамен. А после... пусть парень расслабится, погуляет.

— Ладно, пусть расслабляется. А ты спи. Сон — лучшее лекарство в таких случаях.

— А ты что будешь делать?

— В кои-то веки посмотрю телевизор.

— Ой, Тема, у меня в мастерской попугай...

— Какой попугай?

— Настоящий, большой, красивый. Звать Тимур. Надо его покормить.

— Чем? Сроду не кормил попугаев!

— На подоконнике рядом с клеткой пачка корма. И водички свежей ему налей. Только имей в виду, он жутко болтливый.

— Откуда он взялся?

— Подарили. Он красавец...

И на полуслове она уснула.

Тимур маялся. Вся история с Сандрой вдруг показалась какой-то лишней, ненужной и даже обременительной. Пора уносить ноги. Она заболела... Значит, не судьба. И слава богу! Сколько раз ведь зарекался — не иметь дело с русскими бабами. Но к вечеру он не выдержал и набрал ее номер, хотел узнать, как она там... Трубку долго не брали. Потом вдруг ответил мужской голос:

— Алло! Слушаю вас?

— Извините, а можно Александрину?

— Она больна и не может подойти. Ей что-то передать?

— Передайте, пожалуйста, что звонил Тимур и что я завтра уезжаю.

— Хорошо. Передам.

Тимуру кровь ударила в голову. Это был не Лешка и не кто-то из батьков. С ними я знаком, и они бы говорили по-другому... Значит, это тот, любовник тремя годами младше нее. Она заболела, и он тут как тут! Интересно, с ним она еще не прыгала в сугроб? Его душила злость на самого себя. Идиот, ты что думал, такая женщина тоскует в одиночестве? Смешно, ей-богу.

Но тут вдруг ему пришло сообщение от управляющего чикагского магазина о том, что во время марша феминисток его магазин стал объектом их гнева, так как увлечение машинками — это чисто мужская забава, и т.д., и т.п. Чертовы бабы побили стекла, пришлось вызывать полицию. А все из-за рекламного щита, на котором изображен знаменитый голливудский актер, добрый приятель Тимура, коллекционер машинок... А позавчера его публично обвинили в злостном сексизме и домогательстве. Ну и сам понимаешь...

Тимур схватился за голову. И дело не в побитых стеклах, магазин застрахован, но что теперь будет с Робертом? Харви Вайнштейн, Кевин Спейси, теперь вот Роберт... Обалдели они там все, что ли? Но это значит одно: надо

немедленно лететь обратно. Да оно и неплохо...
Как говорят — не было бы счастья, да несчастье
помогло! И он пошел к отцу.

— Папа, увы, я должен лететь домой.

И он рассказал отцу о том, что стряслось в
Чикаго.

— Черт знает что такое! Тебе действительно
надо там быть или ты... от своей снежной бабы
ноги уносишь?

— Нет, папа, она тут ни при чем, это касается бизнеса. Сам понимаешь...

— Бред какой-то! Чем этим полоумным тет-
кам помешал магазин машинок? Абсурд!

— А кому, спрашивается, через столько ве-
ков вдруг помешал Колумб? Они ведь и его
объявили чуть ли не уголовником...

— Вот что, сын, ты, конечно, сейчас лети.
Но мой тебе совет — заканчивай с этими игрушками, продавай все к чертям собачьим и
возвращайся домой. Здесь твой дом, твой старый
отец, твоя снежная баба...

— Папа, а чем я тут буду заниматься?

— Да можешь и здесь открыть такой магазинчик.

— Боюсь, тут у меня уже не получится.
Я отвык.

— Ну и дурак! — в сердцах бросил Сергей Сергеевич.

— Папа, не сердись, я подумаю над твоими словами.

— Вот-вот, подумай! Это иногда бывает полезно — думать! — Сергей Сергеевич не скрывал своего раздражения.

Тимур занялся билетом. Вылететь раньше послезавтрашнего утра никак не получалось. Но с этим ничего уже не поделаешь. Потом он позвонил Роберту. Его секретарь сообщил, что Роберт ни с кем не желает разговаривать.

— Передай Роберту, что я плевать хотел на все эти идиотские обвинения и остаюсь его другом несмотря ни на что!

— Спасибо, передам! Ему будет приятно, а то тут уже начинается вакханалия... Да, кстати, Роберт предвидел, что у тебя могут быть неприятности из-за рекламы, и он не обидится, если ты ее снимешь.

— Нет, пока ничего снимать не стану! — решительно заявил Тимур, хотя такая мысль уже мелькала. Но сейчас он был полон решимости оставить все как есть. Должен же кто-то попытаться положить конец этому абсурду.

Хотя понятно, что абсурд только еще набирает обороты.

Потом он позвонил Вениамину.

— О, Тимка, я как раз собирался тебе звонить. Какие планы на послезавтра?

— Послезавтра я, к сожалению, должен лететь в Америку. Дела требуют...

— Жалость какая! Слушай, Тимка, я в конце февраля, возможно, буду в Нью-Йорке. У тебя можно будет остановиться дня на три-четыре?

— Господи, конечно! Буду страшно рад! Запиши все мои координаты и предупреди хотя бы дня за три.

— Обязательно! Правда, не факт еще, что мне визу дадут... Но будем надеяться.

— А что остается? Только надежда.

— Скажи, я не спросил, у тебя какие-то неприятности, раз ты срываешься?

Тимур вкратце рассказал ему, в чем дело.

— Во маразм!

Все эти разговоры и мысли о делах отвлекли Тимура от мыслей о Сандре. И вся история показалась вдруг какой-то красивой картинкой, совершенно нематериальной... Да, я таких женщин никогда не встречал, но это что-то из другой, не моей жизни. Видимо, и я для нее тоже — такая картинка из другой жизни. Она для меня теперь будет просто... дама из сугроба. А в Нью-Йорке у меня есть Мэй, очаровательная китаянка. С ней мне хорошо и спокойно, она милая, женственная, и с ней я не должен ничему соответствовать... Хорошо!

И он улетел.

Сандра между тем выздоравливала очень медленно. Она чувствовала страшную слабость. Артем привез к ней своего друга, классного терапевта, который в принципе одобрил выбранный Артемом метод лечения, но посоветовал еще какие-то препараты и, главное, покой.

— Ангина дает тяжелые осложнения, надо быть осторожной, можно загубить сердце, если не соблюдать все назначения. Но с Артемом вы в надежных руках.

Лешка тоже присутствовал при этом разговоре.

— Вот, мама, надо все соблюдать...

— Все соблюдать — это рехнуться можно!

— Ничего, не рехнешься!

У Алексея скоро начинались студенческие каникулы. Сандра настаивала, чтобы он поехал с друзьями куда-нибудь отдохнуть, но парень заартачился.

— Не поеду никуда! Как я могу, когда ты больна?

— Я уже не больная, я выздоравливающая! Артем, скажи ему! У него диплом на носу...

— Мама, это бесполезно! Я буду тебя сторожить! А ты знаешь, Артем, что мама тут учудила?

— Ты о чем, Лешка?

— Она тут, когда снегу навалило, в одном купальнике прыгала с крыши в сугроб!

— Что? — поперхнулся чаем Артем.

— Да-да, прыгала в сугроб!

— Ты ненормальная, да? — закричал Артем.

— Что вы понимаете оба! Это самый большой кайф, какой только можно себе представить! Почему-то никто не говорит, что окунаться в прорубь в лютый мороз это ненормально. Вон, даже наш президент окунается!

— Наш президент, в отличие от тебя, человек закаленный! — заметил Лешка.

— Но, между прочим, я простудилась не из-за сугроба, после прыжков прошло несколько дней...

— Прыжков? — взвился Артем. — Ты не один раз это проделала?

— Нет, конечно! Это так бодрит, такой кайф! Я всегда об этом мечтала! Мы в детстве прыгали с крыши в сугроб, правда, одетые. Но это же хуже, одежда намокает. Знаете, как мне влетало от бабушки, когда я домой являлась как мокрая курица!

— Ладно, мне пора на работу! — объявил Артем. — Алексей, я на тебя надеюсь.

— Даже не сомневайся, я глаз с нее не спущу!

— Черт возьми, а это приятно, когда о тебе так пекутся красивые мужчины! — со смешком заявила Сандра.

Артем уехал.

— Мама, скажи, какого рожна тебе надо?

— Ты о чем?

— Артем тебя любит! Он хороший человек, классный хирург... Я бы хотел, чтобы вы поженились.

— Лешка, не говори чепухи! Я совершенно не желаю ни с кем жениться. И замуж тоже не желаю! Я, наконец-то, почти счастлива: сын вырос, я построила себе дом, у меня даже есть говорящий попугай. Осталось для полного счастья завести веселую дворняжку, а ты тут меня толкаешь замуж! Да ни за что на свете!

— А Артем... он знает, что не входит в этот набор?

— Знает, конечно! И, между прочим, не лезет с идиотскими предложениями! И вообще, сын, учти, чтобы выходить замуж или жениться, надо ощущать, как писала Марина Цветаева, «смертную надобу» в этом человеке.

— Ух ты! Надо же... Смертная надоба... Здорово!

— А ты вообще читал Цветаеву?

— Мам, я насчет стихов как-то не очень...

— Ну и дурак! Вот когда придет «смертная надоба», тогда и схватишься за стихи... хотя вы, нынешние, хватаетесь не за стихи, а за телефоны, тьфу на вас! А что за словечки у вас! Вписка! Я познакомился с этой телкой на вписке! Или еще того чище, с этой соской! Ужас просто! Иди с глаз долой! — окончательно рассердилась Сандра.

Алексей понял, что она плохо себя чувствует. Обычно она вела такие разговоры, когда хворала.

— Мама, ты поспи лучше!

— Вот еще! Пойду сейчас и прыгну в сугроб!

— А нет твоего сугроба! Растаял! — не без злорадства воскликнул Алексей.

— Тьфу ты, зараза!

В самолете Тимур терзался мыслями о Сандре. Как она там? Я даже ни разу не позвонил справиться о ее самочувствии, просто слинял и все... Струсил, Тимур Сергеевич? Ох, странно, он никогда в последние лет пятнадцать не обращался к себе по имени-отчеству... Неужто в кровь проникла эта ностальгическая зараза? Кажется, да, проникла! Когда за столом в отцовском доме Авдотья Семеновна обращалась к нему «Тимур Сергеевич», ему это доставляло неизъяснимое удовольствие. Глупо до изумления, но тем не менее это факт! Ладно, позвоню этой рыжей из дому. Безопасно! И вежливо... Да она и не очень рыжая, у нее волосы не при всяком освещении рыжие. А когда мы сидели в кафешке и у нее дома, я все старался поймать эту рыжину... А лицо у нее такое... как у рыжих... хоть и без веснушек... Но, может быть, веснушки появляются весной? Или она их вывела? Ох, а я мог в нее влюбиться по-настоящему, есть в ней что-то такое... необходимое мне... Но бог миловал! Главное, я примирился с отцом и успел побывать на маминой могиле. А это все игра гормонов, не более того! Не пропаду я без нее. Он заметил как благосклонно смотрят на него красотки-стюардессы. Это было как минимум приятно.

Часть

2

— Добрый день, могу я поговорить с Александриной Юрьевной? — спросил мелодичный женский голос.

— Слушаю вас!

— Александрина Юрьевна, с вами говорит секретарь Романа Евгеньевича Сутырина.

— А кто это?

Кажется, секретарша удивилась.

— Ну, Роман Евгеньевич... крупный бизнесмен, владелец концерна...

— Ох, увольте меня от этих названий, я все равно не знаю, короче, ваш шеф хочет, чтобы я написала портрет его жены, так? — раздраженно спросила Сандра.

— Нет, он хочет, чтобы вы написали его портрет. Для офиса. Вы согласны?

— Нет.

— Но почему? Господин Сутырин предлагает очень хорошие условия. Вы даже не выслушали...

— Ну о плохих условиях речь вообще не идет, но я не могу соглашаться писать портрет человека, даже не видя его. Это нонсенс!

— Хорошо, я перезвоню вам в течение часа.

— Ну-ну!

Собственно, такой заказ был сейчас очень кстати, но форма ее категорически не устраивала. Тоже мне, великий деятель...

Прошло минут двадцать. Снова раздался звонок. Ага!

— Алло, Александрина Юрьевна? — спросил мужской голос.

— Совершенно верно!

— Добрый день, с вами говорит некто Сутырин! Простите, что поручил дозвониться вам моей секретарше. Как-то не подумал, привык, знаете ли. Еще раз прошу меня извинить, но мне еще не доводилось заказывать собственный портрет.

— Понимаю, — хмыкнула Сандра.

— Александрина Юрьевна, скажите, сколько сеансов требуется для такого портрета?

— Не могут вам определенно ответить. Мне нужно увидеть вас, поговорить с вами, я же не могу знать...

— Да-да, вы совершенно правы! Давайте сделаем так... Вы рано встаете?

— Да. Я жаворонок.

— В таком случае, завтра утром я пришлю за вами машину, и мы позавтракаем в хорошем месте. У меня утром есть возможность выкроить часа полтора, вот тогда все и обсудим. Потом вас доставят, куда вы скажете. Такой вариант вас устроит?

— Да. Устроит. В котором часу за мной приедут?

— А где вы живете?

Сандра назвала адрес.

— Отлично! В половине восьмого вас устроит? Не слишком рано?

— Нет-нет. Нормально.

— Очень хорошо. Мой водитель, как подъедет, наберет вам. Все, до встречи, Александрина Юрьевна!

— Хорошо, Роман Евгеньевич! До завтра!

Ага, с таким уже можно иметь дело. Не дурак явно. А деньги сейчас очень нужны!

Сандра покормила попугая, в котором уже души не чаяла, но старалась не называть по имени. Оно почему-то причиняло легкую боль. Надо же, уехал и с концами... А мне показалось, что... Да ладно, именно что показалось... Зачем мне снедаемый комплексами эмигрант? Она уговаривала себя, что просто очень хотела написать его портрет, уж больно интересное и необычное лицо. И необычный, удивительный блеск черных, каких-то непроницаемых глаз. Да ну, господь с ним, пусть продает там свои машинки. Венька говорил, что американские феминистки разгромили один из его магазинов. Так ему и надо! Ладно, если получится с новым заказом, уеду куда-нибудь к черту на кулички, буду отдыхать и писать пейзажи... Без всяких морд. Надоели морды!

На другой день она встала ни свет ни заря, оделась элегантно и дорого, но по-утреннему скромно. И очень понравилась себе. Ровно в половине восьмого раздался звонок.

— Госпожа Ковальская, машина господина Сутырина ожидает вас!

— Иду!

Ее ждал черный «мерседес» и вышколенный немолодой водитель. Они молча ехали минут двадцать. «Мерседес» остановился у небольшого, похожего на пряничный, домика. Вывески никакой не было. Но тут же навстречу вышел мужчина в одном свитере и приветливо помахал ей. Это и есть Сутырин? Вряд ли охранник стал бы махать ей ручкой.

— С добрым утром, госпожа Ковальская! Я Сутырин!

— Не боитесь простудиться?

— Нет, нисколько! Заходите, Александрина Юрьевна! Прошу вас, садитесь! — он отодвинул ей кресло. — Вот вы какая!

— Какая?

— Молодая, красивая, и явно умная.

— С чего вы взяли, что умная?

— А видно! Я, знаете ли, насмотрелся на дур. Ничего, что я сам заказал завтрак?

— Посмотрим! — улыбнулась Сандра.

— Знаете, я никогда не встречал этого имени — Александрина... Красиво, черт побери! А как вас зовут близкие? Саша?

— Сандра!

— О! Кстати, что вы пьете? Чай или кофе?

— Кофе! Со сливками и сахаром.

— Понял! Так вот, пока нам подали только сок, давайте обговорим условия.

Он протянул ей бумажку с написанной суммой в евро.

— Годится?

— Годится.

— Отлично! Ну вот, вы посмотрели на мою физиономию, что скажете, сколько сеансов вам потребуется?

— Думаю, сеансов за пять-шесть справлюсь. Но это только сеансы с натуры, мне еще потребуется время, чтобы довести портрет до ума.

— Это уже неважно! Главное, сколько времени у меня это отнимет. А сколько длится сеанс?

— Ох, по-разному... Но не меньше двух часов. Понимаете, человек обычно зажимается, теряет естественность, нужно время на адаптацию...

— Понял. И что, все зажимаются?

— Как правило, да. Хотя бывают исключения.

— Как все интересно...

— А почему вы решили обратиться ко мне? Есть и более именитые портретисты. Ага, понимаю. Они берут непомерно дорого, так сказать, за брэнд, а вам портрет понадобился не для показухи, то есть, в известном смысле, все-таки тоже для показухи, но, так сказать, для показухи внутреннего масштаба. Так?

— Господи, какое счастье разговаривать с умной женщиной! — рассмеялся Сутырин.

Ему от силы лет сорок восемь-пятьдесят. Лицо хорошее, открытое, глаза умные. В них есть лукавинка...

— Вы сможете приезжать ко мне в мастерскую? — спросила она.

— А где ваша мастерская?

— Там, где я живу.

— Ох, еще время на дорогу... А нельзя как-то иначе? Я буду присылать за вами машину...

— Ну, в принципе, это приемлемо, но где это будет происходить?

— А если у меня в офисе?

— Но там же вас все время будут отвлекать, дергать... И вы и я будем злиться.

— Нет! Работать будем в переговорной. Там хорошее освещение... Хотя вы правы, покоя мне не будет. А если у вас дома, то можно совсем рано утром? Часов в восемь?

— Конечно, можно даже в половине восьмого!

— Действительно, хоть два часа покоя. Отключу к чертям все телефоны, — как-то даже мечтательно проговорил Сутырин. — А столь ранние сеансы не побеспокоят ваших домочадцев?

— О нет!

— Отлично! Мы можем начать прямо завтра?

— Вполне.

— С вами просто. Я думал, будут какие-то понты...

— Почему вы так решили? — улыбнулась Сандра.

— Потому что моя жена услышала о вас от своей подруги, Верочки Белецкой...

— А, поняла! — усмехнулась Сандра. — Тогда вы вправе были ожидать от меня любых понтов. Эта дамочка элементарное чувство собственного достоинства считает невесть какими понтами, тьфу!

— Но она в восторге от своего портрета. И муж тоже в восторге.

— И слава богу!

— Скажите, Сандра... Можно вас так называть?

— Пожалуйста.

— Кто ваш любимый художник?

— Господи, разве можно ответить на такой вопрос! Их много!

— Ну, из русских?

— Их тоже много.

— Ну, например, Серов?

— О да! А еще Левитан, Врубель, Куинджи, Коровин...

— Понял. А вы пишете маслом?

— В основном да, хотя некоторые женские портреты предпочитаю акварелью... Но вас буду писать маслом. Кстати, вам нужен, что называется, парадный портрет?

— Нет, просто портрет человека...

— Человека и бизнесмена?

— Надеюсь, это не будет портрет Гиршмана, как у Серова? С монеткой? — улыбнулся Сутырин.

— Ну зачем же обезьянничать. Я надеюсь, смогу разглядеть в вас что-то другое...

— И я очень надеюсь.

Сандра вернулась домой очень довольная. Разговор с заказчиком прошел на редкость легко и без проблем. Далеко не всегда так бывает. Сутырин произвел на нее приятное впечатление. Кажется, вполне нормальный тип. Даже в живописи разбирается, знает про портрет Гиршмана... Думаю, особых трудностей не предвидится, правда, его жена дружит с Верочкой Белецкой... Отвратительнее бабы я, кажется, еще не встречала. Впрочем, какое мне дело до подруг его жены и до самой его жены тоже. Только пока будут эти сеансы, не надо оставлять на ночь Артема. Ни к чему это. Да и вообще... Он мне как-то ни к чему. Хотя в принципе золотой мужик. Но с ним никогда не получается говорить так упоительно легко и даже как-то искрометно, как с Тимуром... Хотя какой толк в искрометных разговорах? Как в потухшем и уже остывшем костре. Одна зола... И никаких искр. А пожалуй, ни с кем в моей жизни такого не было. Никто не метал искры... Она рассмеялась про себя. Правда, некоторые метали икру, а вот искры... Или я просто это придумала, и искры были совсем другого свойства? Сексуального? Ох, да ну его... этого... искромета. В кроссвордах сейчас стало встречаться слово «икромет». А Тимур для меня будет «искромет». Она рассмеялась, а смех для нее всегда был лучшим лекарством. Неужто можно одним смешным словом избавиться от наваждения? Кажется, да! И слава богу!

Сутырин приехал ровно в половине восьмого утра.

— Какой у вас необычный дом. Ох, а это что, круглое? Лестница? С ума сойти! Это вы сами придумали?

— Нет. Купила у одного краснодеревщика.

— А какая удобная...

— Вот моя мастерская. Вы первый, кого я буду здесь писать. А это мой друг! — Она указала на клетку с попугаем.

— Привет! Каков красавец! Кеша?

— Дуррак! Дуррак! Я Тимурр! Я Тимурр!!!

— У меня было такое впечатление, что всех попугаев Кешами кличут, — рассмеялся Сутырин. — Ну, извини, брат!

— Роман Евгеньевич, сядьте вот в это кресло. Вы ведь курите? Возьмите сигарету, вот так... Расслабьтесь... Я пока буду рисовать...

Она взяла в руки альбом и стала делать карандашные наброски.

— А разговаривать можно?

— Даже нужно!

— Дом совсем новый. Вы недавно переехали?

— О да, перед Новым годом.

— А раньше где вы работали?

— Снимала халабудку. Не хотела, чтобы сын дышал красками.

— Но вы же знаменитый художник! От Союза художников у вас не было мастерской?

— Да что вы! Я же не член Союза.

— Но почему?

— У меня нет высшего образования. То есть, я окончила в свое время юрфак МГУ, но...

— Так вы что, самоучка?

— Можно и так сказать. Правда, я два года ходила в художественную студию...

— Ну надо же! Я видел некоторые ваши работы. Они абсолютно не выдают в вас самоучку. Редкое качество.

— И какие же мои работы вы видели, кроме портрета мадам Белецкой?

— Видел кое-какие ваши пейзажи у Вишневецких. И еще портреты Гусева и Майского. Просто здорово! Но как вам удалось пробиться на этот рынок?

— Да я и не пробивалась. Как говорил Булгаков, сами пришли и принесли заказы... Видимо, удалось потрафить. Но если честно, я больше люблю пейзажи писать...

— Что, рожи надоели?

Она взглянула на него с интересом.

— Да не то чтобы...

— То есть, вы пишете портреты для денег?

— Да! Благодаря портретам я смогла нормально вырастить сына, построить дом... Да я люблю писать портреты, очень, мне это интересно. Просто в идеале хотелось бы писать тех, кого самой захочется. Только и всего.

— А меня вам захотелось бы писать?

— Вы кокетничаете?

— Так! Отбрили! — засмеялся он. — Поделом мне, нечего задавать идиотские вопросы.

Она молчала.

Часа через два Сандра отложила альбом и сказала:

— На сегодня все! Завтра уже буду писать. Хотите кофе?

— Хочу, но времени уже нет совсем. Спасибо! Тогда до завтра.

Он уехал.

Сандра просматривала свои наброски. Кажется, удалось схватить суть... Этот человек — заложник своего окружения, хотя он явно выше него на целую голову. И жена его, по-видимому, такая же пошлая дура, как Верочка Белецкая. Можно, конечно, заглянуть в Интернет, посмотреть, что за птица, но лень. И зачем мне знать, какая у него жена. Захочет, сам скажет, а я просто пишу портрет для офиса. И только!

А Сутырин был впечатлен этим сеансом у Ковальской. Интересная женщина, необычная, умная. Острая. Ну да ладно. Времени нет ни на что.

Вечером жена спросила:

— А почему это ты ездишь к этой Ковальской? Могла бы и она приехать, не развалилась бы за такие бабки.

— Мне так удобнее. И ей тоже. Она работает у себя в мастерской. Там специальное освещение.

— И когда ты опять к ней поедешь?

— Завтра.

— А мне с тобой можно?

— Это еще зачем?

— Интересно!

— Что тебе интересно?

— Ну, что у нее получается...

— Она тебе не покажет.

— Почему это?

— Потому что целому дураку полработы не показывают. А там даже не полработы, пока только наброски.

— А ты их видел?

— Нет.

— А почему?

— Я же сказал: целому дураку полработы не показывают.

— Значит, ты тоже дурак?

— Выходит, дурак! Ладно, Кристина, я устал. И хочу спать. Я сыт разговорами.

— Рома, погоди...

— Что еще?

— А когда будет готов портрет?

— Пока не знаю. Что ты привязалась с этим портретом?

— А я тоже хочу портрет. А то у Верочки есть, у Ванды тоже...

— Ладно, там видно будет, если мне мой портрет понравится, так и быть, закажу и твой тоже...

— Ну, за второй портрет она должна будет сделать хорошую скидку.

— Поживем — увидим!

— Ромочка, я тебя обожаю!

— Обожаешь? Вот и славно! Я пошел спать.

Ему вдруг стало смертельно скучно. Он заглянул в детскую. Дочка спала. Он осторожно поправил одеяло, и на цыпочках вышел из детской. С ума сойти. Веронике уже семь лет, за всеми делами он почти не заметил, как пролетели годы. Навалилась усталость. Придется выпить снотворное.

Тимур маялся. Раздражение, накатившее еще в Париже, вдруг с новой силой ожило в нем. Опять раздражало все. Раньше он даже любил читать газеты, теперь не мог взять их в руки. Такое впечатление, что все кругом рехнулись. Позвонил Роберт:

— Дружище, ты и впрямь от меня не отвернулся?

— А разве должен?

— Ну, судя по последним событиям, вроде, должен, — горько проговорил Роберт.

— А я на всю эту пакость плевать хотел. Я это все ненавижу! Такое впечатление, что все кругом свихнулись. Короче, если я тебе понадоблюсь, позвони, встретимся, выпьем, поговорим.

— Тимур, ты серьезно?

— Серьезнее не бывает.

— Спасибо, спасибо, дружище!

Тимуру показалось, что в голосе Роберта были чуть ли не слезы.

— Слушай, Боб, ты сейчас где?

— Дома.

— Хочешь, я прилечу?

— Нет, лучше я сам... — он помолчал. — Знаешь, меня сняли с роли... И хотят вообще закрыть проект...

Тимур громко матюгнулся.

— Что ты сказал? Это знаменитый русский мат?

— Он самый. Давай, старик, приезжай, остановишься у меня. Зачем тебе светиться в отеле?

— Да, ты прав, так будет лучше. Спасибо тебе!

— Хватит благодарить! Не за что! Для меня это только естественно! Сообщи, когда прилетишь, я тебя встречу.

— Скорее всего, прямо завтра и прилечу. Невмоготу мне...

И он отключился.

Кажется, мне пора возвращаться домой, к отцу. Этот бред только набирает обороты. А там... Там Сандра. И он словно воочию увидел, как сверкнули рыжиной на солнце ее волосы, когда она прыгнула в сугроб. Какая же я скотина. Даже не поинтересовался ее здоровьем... А у кого мне было интересоваться? У нее самой? У ее сына? У Веньки? Безопаснее всего у Веньки. Смешно, ей-богу! Да и поздно сейчас, поезд, как говорится, ушел, больше месяца прошло. Она небось уж и думать обо мне забыла. Разве что вспоминает, когда подходит к своему попугаю, моему тезке. И то, вполне вероятно, зовет его просто «попка-дурак».

...Сутырин, подъезжая к дому Сандры, вдруг поймал себя на том, что радуется. Чему, интересно? Тому, что опять навалило снегу и на дорогах скоро будут кошмарные пробки? Или я просто радуюсь редкой возможности побыть наедине с очень интересной и без сомнения умной женщиной? И к тому же можно будет спокойно курить? Или все это вместе называется радость жизни? Ох, давненько я ее не испытывал вот так, на ровном месте... Лет десять, наверное...

Во время сеанса он заметил, что Сандра то и дело бросает взгляды в окно и на губах у нее играет непонятная улыбка. А за окном все мело...

— Простите, Сандра, но чему вы улыбаетесь?

— Снегу. Люблю, когда много снега...

— Да что ж в этом хорошего? В наших-то условиях? Хотя однажды я оказался в Зальцбурге, когда там был жуткий снегопад. О, это был сущий кошмар! И полное ощущение, что никто этот снег убирать и не собирается.

— А я тут, в этом доме, смогла, наконец, осуществить свою давнюю, собственно, еще детскую, мечту, — словно бы невпопад проговорила Сандра.

— Можно узнать, какую?

— Можно. А впрочем, это может показаться такой глупостью...

— Сандра, так нечестно! — улыбнулся Сутырин.

— Ну ладно... Я смогла тут с крыши сарая прыгнуть в сугроб. Это такой сумасшедший кайф!

— С крыши в сугроб? Ничего себе! Хотя это должно быть здорово... Однако для такой дамы... Как-то...

— Несолидно, да?

— Именно! Именно несолидно, — рассмеялся Сутырин.

— Перестаньте смеяться и сядьте, как сидели! — потребовала портретистка.

— Ох, простите! И сколько раз вы так прыгали?

— К сожалению, только три. Потом приехали гости, а еще потом снег растаял, а сейчас я смотрю в окно с надеждой.

— Но после первого же прыжка вы наверняка были вся мокрая?

— Да не сказала бы. Я в купальнике прыгала.

— Сумасшедшая женщина! — с восхищением проговорил Сутырин.

— В вашем тоне сквозит зависть!

— Это точно, но в мои пятьдесят как-то уже...

— Несолидно?

— Да-да, несолидно.

— Ну, может, вы и правы...

— А в вашем тоне сквозит презрение!

— О нет, просто сочувствие.

— Ох вы и язва... Скажите, Сандра, а вы не согласились бы написать портрет моей жены? Она, можно сказать, жаждет!

— В ближайшее время не получится, у меня много заказов.

— Но в принципе, вы бы взялись?

— Почему бы и нет?

— Гонорар тот же.

— Возьмусь, но не раньше, чем через месяц-полтора. Ну, если кто-то вдруг откажется, тогда, возможно, и раньше.

— А такое бывает?

— Всякое бывает, кто-то должен вдруг уехать, кто-то может захворать. Мало ли...

— Прекрасно!

Дома он передал этот разговор жене.

— Ишь как выделывается! Тебя-то сразу рисовать согласилась... Интересно, почему?

— Не рисовать, а писать.

— Да какая, блин, разница!

— То есть, ты уже не хочешь иметь свой портрет?

— Ну что ты, папочка, очень, очень хочу!

— Сколько раз просил не называть меня папочкой, — вдруг не на шутку рассердился Роман Евгеньевич.

— Тимур, привет!

Перед ним стоял незнакомый мужчина.

— Не узнал? Это я!

— Бобби, ты? От папарацци скрываешься?

— И от них тоже. Да и вообще. Вчера зашел в какую-то кофейню, так ко мне сразу подскочила оголтелая девица и завопила во всю глотку: «Позор тебе, Бобби. Сексистам в Америке не место!»

— Да мало ли вокруг сумасшедших! Не обращай внимание. Ладно, брат-сексист, пошли скорее!

— Ты еще в состоянии шутить... А вот Мэгги... ушла от меня.

— Быть не может!

— Еще как может!

— Она же так тебя любила!

— Да, пока я был на коне. А как с коня сбросили... Да ладно, все они... Лет через двадцать заявит где-нибудь, что я ее каждую ночь насиловал...

— Не обольщайся, Бобби, если так и дальше пойдет, то через двадцать лет...

— Никто обо мне и не вспомнит? Да, похоже на то. Кто бы мог подумать, что Харви Вайнштейна так легко и мгновенно сгложут... Чудовищно!

— Это если не знать, что творилось...

— Ты имеешь в виду времена маккартизма?

— Да нет, там хотя бы была идеология... Антикоммунизм. А тут... Мужиков преследуют просто за то, что они мужики. Нет, Бобби, я-то имел в виду то, что было в Советском Союзе...

— А, знаю, Сталин...

— Ладно, брат-сексист, поехали ко мне.

— Ты хороший человек, Тимур, — горько проговорил Роберт.

Чувствовалось, что человек практически раздавлен.

— Сейчас я накормлю тебя вкусным ужином, мы выпьем, поговорим, но не о политике, не о сексизме, а просто о жизни.

— Хороший ужин вдвоем с другом — приятная перспектива, хотя, как говорил, опять-таки, русский, герой Льва Толстого, «приятного в жизни мне нет».

— Кажется, это Вронский? Ты его имеешь в виду?

— О да, кого же еще! Люблю Толстого.

— И, разумеется, Достоевского?

— Знаешь, как-то не очень. Впрочем, теперь, в мои черные дни, возможно и смогу его оценить в полной мере...

— Брось, Бобби, это все-таки еще не конец света.

— Но уж точно конец моей карьеры. Ну да ладно, бог с ней, с карьерой, поеду к себе в Небраску и займусь сельским хозяйством, что ли...

— Кстати, вполне здравая мысль!

— Я знал, что ты меня поймешь, ты же вот сумел бросить игру и заняться своими машинками. Уважаю!

Они сидели, говорили, пили, и Тимуру показалось, что Роберт как-то понемногу оттаивает. И тогда он попытался завести разговор о том, что не давало покоя ему самому. О Сандре. Роберт внимательно слушал.

— И ты уехал от такой женщины, в сущности, из-за меня?

— Из-за тебя? — не сразу понял Тимур. — Да нет... Это был предлог, я мог бы разрулить ситуацию и на расстоянии, из Москвы. Если честно, я, пожалуй, просто струсил...

— Понимаю. Ты не привык к таким женщинам. А это и впрямь непросто.

— Конечно, в том-то и дело. Такой женщине надо соответствовать, а я не уверен, что смог бы...

— Смог бы. Ты цельная натура.

— Я? Я цельная натура? Ты ошибаешься, брат-сексист.

— О нет, не ошибаюсь. К тому же у тебя прекрасное чувство юмора. А это так важно...

— Ну, ты тоже не страдаешь его отсутствием.

— О, я начисто утратил все чувства, кроме, разве что, отчаяния.

— Послушай, Боб, у меня родилась роскошная идея! А поехали со мной в Москву?

Роберт очень внимательно посмотрел на друга. И лукаво прищурился.

— Со мной не так страшно явиться к твоей снежной красавице?

— Нет, не в том дело. Просто в Москве ты будешь... герой, гонимый сворой взбесившихся феминисток. И я готов голову прозакладывать, что какой-нибудь ушлый продюсер сразу захочет снять тебя в российском блокбастере или даже просто в хорошем фильме.

— О, тогда уж я точно стану изгоем в своей стране.

— А разве ты им еще не стал? Ты подумай, подумай, брат-сексист. Ты ведь не бывал в России? Вот и посмотришь своими глазами, что и как. Я свожу тебя в Питер...

— Куда?

— В Санкт-Петербург. Это самый красивый город в мире, поверь мне! — Тимур вдруг страшно воодушевился. — Да и Москва роскошный город, можно будет еще слетать в Сибирь, на Байкал, это и моя давняя мечта... Познакомишься с моим отцом, поверь, это того стоит, теперь таких людей по пальцам пересчитать. И, кстати, я уверен, это твой шанс начать новую жизнь.

— В России?

— А почему бы и нет. По крайней мере, поездка в Россию может быть каким-то толчком на новом пути. Между прочим, в некоторых европейских странах тебя тоже могут снимать...

— Я так тебе нужен там, у твоей снежной королевы?

— Тьфу, дурак! — возмутился Тимур, который и вправду вдруг поверил в возможность такого выхода для своего друга.

— То есть, ты сейчас говорил все это совершенно искренне, без задней мысли?

— Слушай, старик, я вообще рассказал тебе об этой женщине, чтобы тебя хоть немного отвлечь от твоего кошмара. И потом... Русские женщины — это лучшее лекарство.

— О да, они очень красивы!

— Дело не в этом. Они, если любят, способны совершать такие подвиги самопожертвования, что только диву даешься. Ты помнишь, была такая французская актриса — Марина Влади?

— О, эту историю я знаю!

— Она же никакая не француженка, а типично русская баба, которая ради любимого себя не щадила... И таких в России еще много осталось, я уверен. И на твою долю хватит...

— Ну, допустим, — грустно улыбнулся Роберт. — А ты-то сам думаешь вернуться в Россию?

— Думаю! Моему отцу уже много лет, я нужен ему...

— А твой бизнес?

— Продам! Или буду пока управлять дистанционно, в наше время это возможно!

Тимур говорил с такой убежденностью, как будто это было давно выношенное решение. И ему вдруг показалось, что Роберт дрогнул.

— А что в самом деле, может, рискнуть, а?

Сандра закончила сеансы с Сутыриным. Теперь она дорабатывала портрет. Кажется, мне удалось ухватить что-то важное в этом человеке. Он совсем неоднозначен, в нем есть второй план, глубина, он умнее и лучше, чем хочет казаться. В его мире не следует обнаруживать эти качества. Вот послезавтра позвоню и скажу, что можно забирать портрет.

Сутырин обрадовался.

— Сандра, скажите, а вы-то сами довольны своей работой?

— Я — да! Но главное все-таки, чтобы вы остались довольны.

— Я приеду завтра утром в обычное время, ладно? Вам как лучше гонорар — наличными или перевести на счет?

— Лучше наличными, если вас не затруднит.

— Хорошо, никаких затруднений.

Они встретились, как старые приятели.

— Вы с утра такая румяная! Нешто прыгали в сугроб?

— Прыгала! Два раза! Такое счастье!

— Да, бывает же такое... — рассмеялся он. — Но мне не терпится взглянуть на портрет. О! Впечатляет! Но вы польстили мне, я тут... лучше, чем я есть.

— Я написала вас таким, каким увидела, только и всего.

— Я... польщен! И, если честно, я в восторге! Поверьте, «восторг» — слово не из моего лексикона. Вы удивительный портретист, госпожа Ковальская.

— Мне было интересно вас писать, вероятно, в этом дело.

— Повторюсь, я польщен. И знаете что, я хотел бы, чтобы вы написали мою дочь, она еще ребенок, ей всего семь, но у нее уже есть характер.

— То есть, вы хотите двойной портрет — ваша жена с дочкой?

— Я бы хотел дочку отдельно, — нерешительно проговорил Сутырин. И вдруг покраснел.

— Ну, Роман Евгеньевич, вы лучше обсудите это с вашей женой, — улыбнулась Сандра. И тихонько добавила: — Проще будет.

Супруга Романа Евгеньевича долго смотрела на портрет мужа.

— Красиво получилось, — вынесла она вердикт. — И похоже! Я тоже хочу!

— Да ради бога, только давай она напишет тебя вместе с Вероникой.

— Да? — подняла бровки Кристина. — А что, можно! Только пусть она сама к нам приезжает, я не хочу таскать Веронику по чужим домам. Ничего, не развалится твоя художница.

— Думаю, она согласится.

— А когда это будет?

— Месяца через полтора.

— Почему так долго?

— У нее много заказов.

— Ладно, нам не к спеху.

...Роберт и в самом деле немного оттаял в гостях у Тимура. Они много говорили обо всем на свете, стараясь не касаться болезненных тем. А в голове Тимура все более крепла мысль об окончательном возвращении в Москву, но Сандра занимала далеко не первое место в его размышлениях. Продавать бизнес или нет, вот что занимало его в первую очередь. А что я буду делать в России? Не сидеть же мне, здоровому мужику, на шее отца? Открывать новое дело в России пока как-то стремно, это совершенно другая реальность. И сумею ли я вписаться в эту реальность? Но вписался же я когда-то в американскую реальность, а это было тоже ох как нелегко...

— Скажи, Тимур, ты и вправду полагаешь, что в России кто-то может мной заинтересоваться?

— Безусловно. Ты великолепный артист, с мировым именем, к тому же пострадавший от так называемых ревнителей «либеральных ценностей», которые в России практически совсем не популярны.

— Скажи, а в Москве есть католические храмы? Я ведь католик...

— Конечно есть! Боб, я смотрю, ты уже всерьез подумываешь о переезде?

— Ну, пока еще не о переезде, но о поездке... Необходимо окунуться в атмосферу нового города, страны... Может так случиться, что мы окажемся несовместимы, я и твоя страна...

— Да, такое бывает. Знаешь, в моей юности очень многие буквально бредили Америкой. Когда представлялась возможность, уезжали, как говорится, пачками, но прижились далеко не все, многие вернулись с проклятиями. Всякое бывает. Но попробовать, пожалуй, все-таки стоит, Бобби!

— Да, тем более, что терять мне тут уже нечего. Можно рискнуть, и, наверное, даже нужно!

Тимуру вдруг позвонил из Москвы Вениамин.

— Тимка, привет! Помнится, ты говорил, что готов принять меня дня на два — на три. Я лечу в Нью-Йорк по важному делу. Твое приглашение еще в силе?

— Что за вопрос! Конечно! — обрадовался Тимур. — Приезжай! Когда ты будешь? Я тебя встречу!

— Спасибо, друг!

— Не за что! Жду! Бобби, послезавтра прилетает мой старинный друг из Москвы, он режиссер-документалист.

— Ты хочешь, чтобы я уехал?

— Тьфу на тебя! Нет, конечно, как ты мог подумать. Места всем хватит! Но меня посетила одна идея... Может, Вениамин снимет фильм о тебе... Это был бы такой шанс для вас обоих!

— Какой шанс?

— Если сделать фильм о знаменитом голливудском актере, попавшем в такую пакостную ситуацию, Вениамин может прогреметь... Затравленный голливудский актер вызовет куда больше эмоций у массового зрителя, нежели даже самые редкие животные из Красной книги.

— Но меня же здесь окончательно заклеймят и проклянут.

— А разве еще не прокляли и не заклеймили? Ты, вон, нос высунуть из квартиры боишься! А там... — вдруг страшно воодушевился Тимур, — уверен, это будет бомба, а русские женщины станут рыдать над тобой и носить тебя на руках. Вениамин тебе понравится, я уверен.

— Он говорит по-английски?

— Да, разумеется. И вы найдете общий язык.

Может, я еще устрою судьбу моих друзей, и тогда судьба пошлет мне... Кого? Что? Прощение рыжей Сандры, дамы из сугроба?

Вениамин прилетал в одиннадцать утра по нью-йоркскому времени. Тимура буквально трясло от нетерпения.

— Венька! Наконец-то!

— О, Тимка! Как я рад тебя видеть! Выглядишь отлично! Хорошо, что ты меня встретил, а то я как-то побаиваюсь Нью-Йорка, он меня подавляет даже в кино.

Они обнялись, похлопали друг дружку по плечам.

Когда уже сели в машину и Тимур вырулил с территории аэропорта, он сказал:

— Вень, ты знаешь такого артиста Роберта Шермана?

— Ну, кто ж его не знает, а что?

— Ты слыхал, что с ним случилось?

— Погоди, это его обвинили в злостном сексизме?

— Именно.

— Вот придурки! А ты почему спросил?

— Он мой близкий друг и сейчас живет у меня.

— Да ты что! Обалдеть! Постой, а это удобно, чтобы я...

— Очень даже удобно, места всем хватит!

Вениамин пристально посмотрел на старого друга.

— Тимка, колись, у тебя есть какая-то идея? Насчет меня и этого Роберта? Ты хочешь, чтобы я...

— Венька, брат, вот всегда любил тебя за сообразительность! — в полном восторге воскликнул Тимур. — Я еще и рта не успел раскрыть, а ты уже все просек! Здорово!

— Ничего особенного, просто умение быстро схватывать суть. А вообще, это может выстрелить. Он бывал в России?

— Нет, но собирается. И я, кстати, тоже. Возможно, и насовсем.

— Да ты что! Класс!

Они замолчали. Первым нарушил молчание Тимур.

— Вень, скажи... — начал он нерешительно.

— Жива-здорова, вся в работе.

— Ты о ком?

— Ну, о Сандре, о ком же еще.

— А с чего ты взял...

— Ну я же не идиот. Она, между прочим, спрашивала о тебе, ну еще тогда, когда ты слинял. А потом все, как отрезало. Она по-прежнему с Артемом.

— Кто такой Артем? — вскинулся Тимур.

— Ее любовник. Классный хирург и просто отличный парень. Любит ее, хочет жениться, но Сандра наша категорически против брака. Так что ты зря сбежал, ничего тебе не угрожало, дружище.

— Ни от кого я не сбегал, у меня из-за этих долбаных феминисток валится бизнес.

— Ну, допустим, — усмехнулся Вениамин. — Скажи, Тим, а что за человек этот Шерман?

— Великолепный парень, великолепный артист.

— Давно с ним дружишь?

— Лет десять, наверное. Мы познакомились в Лас-Вегасе, на одной вечеринке, и как-то мгновенно нашли общий язык. А сейчас от него практически все отвернулись, кроме меня. Я зову его «брат-сексист».

— Тимка, а мы с тобой тоже сексисты, как ты думаешь?

— А то! Мы теперь будем три брата-сексиста!

— Знаешь, если честно, я даже не очень понимаю, что это, собственно, такое — сексист.

— По-моему, это просто нормальный мужик с еще не отмершим основным инстинктом.

— О господи! Вот когда впору воскликнуть: «О времена! О нравы!»

Часть

3

— Авдотья Семеновна, голубушка, через неделю приезжает Тимур, — радостно сообщил Сергей Сергеевич своей домработнице.

— Вот хорошо-то, надолго хоть?

— Пока на три недели, а там, глядишь, и насовсем вернется. А с ним приедет его друг, американец, знаменитый голливудский артист Роберт Шерман. Знаете такого?

— Да я их как-то не различаю, ихних артистов... А он что, тоже у нас остановится?

— Разумеется, у нас.

— Батюшки! А он, что же, Сергей Сергеевич, по-русски разумеет?

— Нет, но вы не волнуйтесь, голубушка, все, что надо, мы с Тимуром переведем.

— Сергей Сергеевич, а чем же потчевать будем такого важного гостя?

— А вот чем нас с Тимкой кормить будете, и для него сгодится, никаких проблем.

Сергей Сергеевич пребывал в приподнятом настроении, и хотя Тимур пока не сказал ничего определенного, но отец чувствовал: сын в конце концов обязательно вернется. И какое это счастье — знать, что между ними теперь больше нет той пропасти, которая разделяла их целых восемнадцать лет. Как я, старый болван, мог таить какую-то обиду на единственного родного мне человека? Ведь Тимка был совсем еще мальчишкой, можно сказать, щенком, а я и тогда уже был далеко не молод. И ведь прав-то оказался он, мальчишка и щенок. Я бросил его мать, прекрасную жену, умную достойную женщину ради... ради, собственно, красивой молодой... побрякушки? Да, Елена оказалась просто побрякушкой, и ради этой, прости, господи, побрякушки я, в сущности, сломал две жизни. Ануш тяжело заболела и умерла, а Тимка уехал черт-те куда и занимался черт-те чем! И он, как ни прискорбно, оказался много лучше и умнее меня. Первым нарушил многолетнее молчание. Что я испытал, услышав вдруг в трубке это «Папа!». Господи, прости мне мои прегрешения и дай еще пожить рядом с сыном, — взмолился неверующий Сергей Сергеевич.

...В аэропорту Кеннеди молодая негритянка, проверявшая документы пассажиров рейса Нью-Йорк—Москва, придирчиво посмотрела на Роберта, по-видимому узнала, поджала толстые губы и процедила:

— Ну конечно!

Тимур взбесился.

— К чему относится ваш комментарий, мэм?

— Проходите, не задерживайте других пассажиров.

— Вот же сука! — пробормотал Тимур.

— Держи себя в руках, а то схлопочешь обвинение в расовой дискриминации, — улыбнулся Роберт.

— А я гляжу, брат-сексист, ты как-то воспрял духом.

— Знаешь, я внезапно осознал, что в жизни есть еще немало хорошего помимо Голливуда. Я еще не старый, и мне не поздно начать новую жизнь, надо только оглядеться вокруг и понять, как именно ты хочешь жить. Но одно я знаю твердо: я хочу жить так, чтобы каждый мой шаг не отслеживался хищными папарацци. И еще, Тимур, я хочу попробовать на вкус нормальную, некиношную жизнь. Я ведь начал сниматься в семнадцать лет. Что я видел, в сущности? И ведь это не я выбрал кино, а кино выбрало меня. А теперь выбросило вон, но, слава Богу, еще не полностью меня сглодав.

— Знаешь, Боб, я счастлив это слышать!

— И, между прочим, я все это осознал в огромной степени благодаря тебе.

— Да нет, ты сам до этого дошел.

— Скорее всего, не дошел бы, если б ты тогда не позвонил и не передал бы, что тебе плевать на эту идиотскую травлю. Ты был единственным!

— Ладно, хватит пафоса. Не люблю.

— Да я вообще-то тоже не люблю. Но, видно, просто момент такой, брат-сексист. Скажи, а ты познакомишь меня с твоей снежной красавицей?

— Непременно!

— А как ты считаешь, я смогу тоже прыгнуть в снег?

— Почему бы и нет, если, конечно, хватит снега... Ты имей в виду, у нас бывают и вовсе бесснежные зимы. И, кстати, запомни: медведи с балалайками по улицам не бегают.

— О, а ты рассердился! Ладно, в конце концов, я вполне обойдусь и без прыжков и даже без знакомства с твоей красавицей.

Тимур рассмеялся. Он и в самом деле ощутил укол ревности, как это ни глупо.

...Странно, несмотря на чрезвычайную занятость, Сутырин минутами ощущал что-то вроде тоски по этой восхитительной женщине, Сандре Ковальской. Влюбился, что ли? Да нет, это не то... Просто в последние годы ни на что не хватало времени, а тут в течение нескольких дней выдавалось по два-три часа тишины и покоя и разговор получалось поддерживать... достойный, что ли. Вроде все у него нормально: красавица-жена, хорошенькая и всегда готовая к услугам любого свойства секретарша, не было только друга. А эта рыжая могла бы быть другом. Это чепуха, что мужчина не может дружить с женщиной. Она сама говорила, что у нее есть друзья-мужчины. Хотя как женщина она на редкость привлекательна. А, да тут сам черт ногу сломит.

И вдруг она сама ему позвонила.

— Роман Евгеньевич, вы не раздумали насчет портрета жены и дочки?

— Нет, конечно! Сандра, страшно рад вас слышать. У вас появилось время?

— Да.

— Замечательно. А скажите, Сандра, поскольку речь идет о дочке, то не могли бы вы сами приезжать к нам? Я, разумеется, буду присылать за вами машину.

— Конечно, я понимаю. Девочка ходит в школу?

— Нет, пока мы предпочитаем домашнее воспитание, по крайней мере, до следующего года. Сандра, я переговорю с женой, выясню все насчет времени и попозже перезвоню.

— Да, хорошо, я никуда не тороплюсь.

Он перезвонил уже вечером, довольно поздно.

— Сандра, дорогая, тут такая коллизия... Жена вынуждена сейчас уехать в Петрозаводск, захворала ее матушка. Может, вы бы согласились написать пока только дочку?

— Почему бы и нет? Дочку так дочку. Кстати, как ее зовут?

— Вероника. Она хорошая, умненькая и совсем не капризная.

— Роман Евгеньевич, не волнуйтесь, я умею ладить с детьми. Ваша девочка в состоянии хоть полчаса посидеть спокойно?

— Да, если с книгой.

— Удивительно в наше время, но здорово. Может, я именно с книгой ее и напишу.

— Скажите, Сандра, а вы могли бы начать в воскресенье, я хотел бы сам познакомить Веронику с вами.

— Очень правильная мысль. Да, в воскресенье хорошо, и пробок меньше.

— Тогда ровно в десять за вами придет машина.

— Хорошо, договорились.

— Что, очередной заказ? — мрачно спросил Артем.

— Ну да, а в чем дело?

— И кто на сей раз стремится быть запечатленным на холсте?

— Отец стремится запечатлеть семилетнюю дочь.

— О, папаша, видать, небедный.

— Артем, ты чего злишься? Я же не виновата, что мои работы стоят недешево, так получилось. Ну не злись, это ужасно глупо, в конце концов. Ты классный хирург, и если бы занялся пластической хирургией, то твои операции стоили бы не меньше, чем мои портреты.

— А мне неинтересно перекраивать рожи! Не в этом предназначение хирургии. А вот ты...

— Что я?

— Ты как будто избегаешь меня в последнее время. Скажи честно, у тебя кто-то появился?

— Нет. Не появился, но если появится, я тебе прямо скажу.

— Какая же ты все-таки стерва.

— Ну, уж какая есть, — пожала плечами Сандра.

— Ну все, с меня хватит! — взбесился вдруг Артем. — Я был готов на все, но ты... Ну и черт с тобой!

Он сорвал с вешалки свою куртку и выскочил за дверь. И тут же взревел мотор его «мазды».

Вот и все, с облегчением подумала Сандра. Пусть побесится, а потом... Он заслуживает хорошей доброй женщины, которая будет любить его на всю катушку, и, я уверена, такая вскоре найдется. И дай ему Бог!

Девушка-пограничница на паспортном контроле в Шереметьеве заглянула в паспорт Роберта, потом посмотрела на него самого, потом, словно не веря себе, опять глянула в паспорт и вдруг, забыв профессиональную суровость, расплылась в такой улыбке, что Роберт невольно улыбнулся в ответ. Эта русская девушка узнала его. И обрадовалась! Хорошее начало, подумал он.

— О, Бобби, ты произвел сенсацию, — засмеялся Тимур, видевший эту мизансцену. — А что я тебе говорил!

— Да ладно, — почему-то смутился Роберт.

— Пошли за багажом, — хлопнул его по плечу Тимур.

Багажа пришлось немного подождать. Но вот они подхватили свои чемоданы и направились к выходу.

Тимур сразу выловил в толпе отца.

— Папа!

— Приехал! — просиял Сергей Сергеевич. — Как же я рад, сын!

— Вот, папа, познакомься, это Роберт, мой близкий друг. Бобби, а это мой папа.

— Очень, очень рад! — по-английски приветствовал Роберта Сергей Сергеевич. — Добро пожаловать в Москву!

— Девчонка на паспортном контроле при виде такой знаменитости чуть из своей будки не выпала!

— Ну вот что, молодые люди, все разговоры потом. Стойте тут, а я подгоню машину.

Сергей Сергеевич поспешно ушел. Роберт с любопытством озирался вокруг.

— Да, не удивляйся, Бобби, в России такие же люди, как везде.

— Брось, Тим, по-твоему, я совсем идиот?

— Да нет, конечно, я же шучу.

— И куда мы сейчас поедем?

— Полагаю, за город, на нашу дачу. Но если ты захочешь жить в городе, ради бога. Городская квартира в твоем распоряжении.

Роберт молча кивнул. На нем была теплая куртка с капюшоном, который он надвинул, едва выйдя на воздух. Погода была неважная, дул ледяной ветер.

— О, а вот и папа! Пошли скорее, тут нельзя долго стоять.

Тимур сел рядом с отцом.

— Ну, парни, как, сразу едем на дачу или покажем нашему гостю город?

— Нет, папа, поехали на дачу, а завтра с утра мы с Бобом подадимся в город, а на послезавтра у нас назначена встреча с Венькой. Он намерен снимать фильм о Бобби.

— Отличная мысль! Ладно, на дачу так на дачу! А то Авдотья Семеновна моя там на ушах стоит. Еще бы, такой гость и из самого Голливуда!

Роберт вопросительно взглянул на Тимура, мол, о ком речь?

— Это папина... экономка, что ли.

— А!

— Она фантастически готовит! Тебя ждет поистине праздник желудка!

...Сандра ожидала увидеть роскошный дом и не ошиблась. Дом и вправду был роскошным и вполне безвкусным. А впрочем, какое мне дело до этого дома? Напишу девочку и досвидос, как говорится. А мамашу писать откажусь под каким-нибудь благовидным предлогом. Ну ее!

Сандра вчера все-таки залезла в Интернет, чтобы составить себе представление о супруге Сутырина. То, что она обнаружила, ей не понравилось. Категорически! Хотя какое мне дело? Каким боком меня это касается?

Навстречу ей вышел хозяин дома, приветливо и даже как-то восторженно улыбаясь.

— Милости прошу, дорогая Сандра! Проходите, будьте как дома! Может, хотите кофе?

— О нет, благодарю. Я хотела бы поскорее увидеть свою модель.

— Одну минутку! Вероника! — позвал он.

И тут же появилась девочка, прелестное, поистине эфирное создание. Она смотрела на Сандру со жгучим любопытством.

— Ну, здравствуй, Вероника! Ты очень-очень красивая... Скажи, ты хочешь, чтобы у твоего папы был твой портрет?

— У папы? А почему только у папы?

— Нет-нет, не только у меня, но в нашей семье, — поспешил заверить девочку отец. — Тетя Сандра очень хороший и знаменитый художник. Это большая честь — иметь в семье портрет кисти тети Сандры.

— Да ладно вам, Роман Евгеньевич. Вероника, скажи, а ты в состоянии посидеть спокойно хоть полчаса?

— Да. Я не очень прыгучая... А если с книжкой, могу и час просидеть.

— Вот и чудесно! Роман Евгеньевич, а где бы нам расположиться? Тут у вас что?

— Зимний сад.

Сандра заглянула туда.

— О, это то, что нужно! Вы позволите посмотреть?

— Разумеется!

Зимний сад был тоже роскошным, но без кричащего богатства. Видимо, его оформлял ландшафтный дизайнер с хорошим вкусом.

— О, замечательно! Если позволите, тут мы и обоснуемся. Вероника, сядь вот тут!

Сандра поставила легкое плетеное кресло с красивыми подушками возле какого-то куста, подумала, передвинула кресло и попросила Веронику забраться в него с ногами.

— А можно? — обрадовалась девочка. — А то мама не позволяет... с ногами.

— Сегодня все можно, — улыбнулся Сутырин.

— Вот, отлично! И смотри на меня. Так... Сегодня я буду делать только наброски карандашом. Тебе удобно так сидеть?

— Очень! Очень удобно!

— Молодец! И постарайся посидеть так подольше. А что за книга у тебя?

— Сказки Андерсена.

— Нравится тебе?

— Еще как! Особенно сказка про Русалочку. Так ее жалко, правда?

— Правда, конечно, правда! Я в детстве тоже обожала эту сказку, сто раз ее читала и сто раз плакала...

— А мама говорит, что это вредная сказка.

— Вредная? — поразилась Сандра. — Почему?

— Ну, я не очень поняла... вроде как она у девочек понижает... как ее... самооценку.

— О, господи! — простонала Сандра. — Но ты все-таки ее читаешь?

— Папа разрешил. Он говорит, что это чепуха, — таинственным шепотом проговорила Вероника.

Сандра работала уверенно, но наброски были тонкие, даже нежные. Опять появился хозяин дома и сел в отдалении. Он испытывал странные чувства. Как хорошо она говорит с ребенком, без малейшего сюсюканья и без назидания... как со взрослым человеком, равным ей. И Вероника явно прониклась доверием к незнакомой женщине. Она не читает, а с удовольствием беседует с Сандрой, рассказывает ей, как любит мамину собачку Никки, и как в прошлом году на ее глазах машина, мчавшаяся на большой скорости, едва не задавила кошку.

— Ой, я думала, все, так испугалась, заплакала, а папа сказал, что кошка каким-то образом успела убежать. Я не верила, а папа сказал, что если бы кошку задавило, на асфальте остался бы след, а там ничего не было, и еще две незнакомые тети тоже ахали, как кошке удалось увернуться.

— Какое счастье! — искренне воскликнула Сандра.

— А у вас есть животные? — полюбопытствовала Вероника.

— Пока только попугай. Но я мечтаю завести себе веселую дворняжку, а кот, я думаю, рано или поздно сам приблудится.

— А почему вы хотите дворняжку?

— Не знаю. Просто люблю дворняжек. С ними хлопот меньше, они обычно куда здоровее породистых.

— А наша Никки очень-очень породистая, порода называется японский хин. Мама всегда носит ее на руках и всюду берет с собой. А у ее подруг у всех йоркширские терьеры. Скажите, а где берут дворняжек? Есть такой специальный клуб?

— О нет! Дворняжек или находят бездомных, или покупают у какого-нибудь ханыги щеночка от беспородной сучки, да мало ли...

— Да, я поняла, их берут в каких-то совсем негламурный местах, да?

Сутырин фыркнул.

— Да-да, — подтвердила Сандра, — в самых что ни на есть негламурных.

— А дети у вас есть?

— Есть. Сын. Но уже взрослый. В этом году институт заканчивает.

— Он у вас красивый?

— Мне кажется, да, красивый, даже очень.

— А у вас в телефоне есть его портрет?

— Есть, конечно.

— Вы мне покажете?

— Обязательно!

— А как его зовут?

— Лешка.

— Алексей?

— Ну да.

Сутырин только диву давался, как легко и непринужденно общается Вероника с этой взрослой едва знакомой женщиной. С этой удивительной женщиной... А может, она вовсе не удивительная, а просто нормальная, а я отвык от нормальных женщин? Похоже на то, — с горечью подумал он.

— Ну вот, на сегодня все! — объявила Сандра. — Ты молодчина, с тобой легко, ты так здорово позировала. Завтра продолжим. Знаете, Роман Евгеньевич, я думаю, портрет Вероники следует сделать акварелью.

— Ради бога простите, Сандра, но мне все же хотелось бы маслом, уж не взыщите.

— Хозяин — барин! Любой каприз за ваши деньги.

Он видел, что она недовольна.

К Сандре подбежала Вероника.

— Ой, а вы обещали показать фото вашего сына!

— Да, в самом деле, — улыбнулась Сандра. — Вот, смотри!

Вероника во все глаза смотрела на фотографию красивого веселого парня.

— Хороший! — объявила девочка. — А у него есть жена?

— Нет, пока нету.

— А сколько ему лет?

— Двадцать один год.

— А мне семь. Разница в четырнадцать лет. Как у папы с мамой.

— Да ты нешто замуж за Алексея собралась? — рассмеялась Сандра.

— Я буду об этом мечтать!

На следующий день Сандра опять приехала в дом Сутырина. Вероника радостно выбежала ей навстречу.

— Здравствуйте! С добрым утром!

— С добрым утром, детка!

— А как поживает Алексей?

— Алексей сейчас пишет диплом, знаешь, что это такое?

— Он дипломат?

— Нет-нет, — рассмеялась Сандра, — диплом — это совсем другое...

— Понимаю! — кивнула девочка. — Это что-то взрослое и скучное? Да?

— Ты права, взрослое и скучное. Вероника, а ты зачем надела другое платье? — спохватилась вдруг Сандра.

— Оно вам не нравится?

— Очень нравится, классное платье. Но писать я тебя буду в том, что было на тебе вчера. Будь добра, сбегай и переоденься.

— Ну хорошо, папа велел вас слушаться. И еще он передавал вам привет.

— Спасибо.

Девочка убежала, а Сандра разглядывала свои вчерашние наброски.

В зимний сад вошла горничная в темно-синем шерстяном платье с белым кружевным фартучком и в кружевной наколке на густых каштановых волосах. В руках она держала поднос.

— Здравствуйте! — сказала девушка. — Роман Евгеньевич велели подать... Тут вот кофе в термосе, печенье, фрукты, орешки. Ну, что вам захочется, одним словом.

— Очень мило. Вы поставьте поднос. Кофе я потом, наверное, выпью. А как вас зовут?

— Нина.

— А меня Александрина Юрьевна. Вы красивая, Нина!

— Спасибо! Я никогда не слыхала такого имени, царственное какое-то...

В этот момент примчалась Вероника.

— Я готова!

— Сядь, пожалуйста, как вчера.

— А вы сегодня уже красками будете работать?

— Да. Красками.

— А когда красками, разговаривать можно?

— Можно, — улыбнулась Сандра.

Девочка очень ей нравилась, и она с удовольствием взялась за работу.

Утром, после обильного и очень вкусного завтрака, Тимур спросил:

— Ну что, Бобби, поедем в Москву?

— Поедем, конечно, поедем!

— Тимка, можешь сегодня взять мою машину, — предложил Сергей Сергеевич.

— Да нет, папа, спасибо, но без машины проще. Где ее парковать, постоянная проблема. Поедем на электричке. Пусть Боб наблюдает российскую действительность.

— Ну, как угодно.

— Боб, одевайся теплее, — посоветовал другу Тимур.

Они вышли из дому и направились к станции.

— Какой у тебя удивительный отец!

— Удивительный? Чем это?

— Такой умный, столько всего знает и так тонко все понимает... И еще он просто очень обаятельный. По-моему, он безумно рад твоему приезду.

— Да, правда. Я и сам чертовски рад. Наверное, я все-таки вернусь в Россию. А скажи-ка мне, Бобби, что тебе хотелось бы увидеть в Москве в первую очередь?

— Ну, вероятно, это страшное место... Кремль.

— Страшное место? — фыркнул Тимур. — Ладно, покажу тебе это страшное место. А еще что?

— А что нужно смотреть? Но вообще-то я мечтаю попасть туда, где жил Лев Толстой.

— В Хамовники или в Ясную Поляну?

— О да, Ясная Поляна.

— Понял. Но туда три часа езды. На днях обязательно свожу тебя туда, хотя сейчас не лучшее время для Ясной Поляны, летом там очень красиво.

— А ты там был?

— В далеком детстве, отец меня возил, считал, что ребенок непременно должен там побывать. А еще мы поедем в Санкт-Петербург. Это такая красота.

— Хорошо! Я заранее на все согласен! — радостно улыбнулся Роберт.

— А завтра мы встречаемся с Вениамином в связи с фильмом о тебе. Ох, я совсем забыл, на той неделе начинается Масленица. Ты ел когда-нибудь настоящие русские блины?

— Блины? Нет. А что это?

Тимур поведал другу все, что помнил о Масленице и блинах. Тот слушал с огромным интересом.

Первым делом отправились на Красную площадь, где еще работал каток.

— Вот, гляди, это и есть Кремль. Тебе уже страшно?

— Тут так красиво... А вон тот храм вообще чудо из сказки...

— Это знаменитый собор Василия Блаженного.

— Прости, Тимур, а ты... не мог бы подождать меня где-то поблизости... скажем, минут пятнадцать? Мне так хочется немного побродить здесь.

— Не проблема! Тут есть хорошее кафе, вон там, видишь, я буду тебя ждать. Смотри, не потеряйся, турист!

Тимур с удовольствием отправился в кафе на территории ГУМа. Роль экскурсовода не слишком его привлекала. Выпив чашку превосходного кофе, он вдруг достал телефон и набрал номер Сандры. Однако ее телефон был заблокирован. Он ощутил укол разочарования. Ему казалось, что если он сейчас услышит ее голос, жизнь заиграет теми красками, которых ему так не хватало в последнее время. Но увы...

А вскоре появился Роберт, изрядно замерзший, но с сияющими глазами.

— Тим, это великолепно! И как-то совсем не страшно. Скажи, а попасть за эту стену возможно?

— И не только за стену, но и в сам Кремль.

— Туда пускают? — поразился Роберт.

— Ну, у вас же пускают на экскурсии в Белый дом, — пожал плечами Тимур.

Роберт пристально посмотрел на него и улыбнулся.

— Ты вот уже говоришь «у вас». Значит, ты, в сущности, уже вернулся.

— Пожалуй, ты прав. Но знаешь, это теперь тут, на Красной площади, каток работает, проводятся всякие фестивали и концерты, а в моей юности она-таки производила на меня довольно зловещее впечатление. Хочешь кофе с коньяком? Согреешься быстрее.

— Хочу! И чего-нибудь сладкого!

— Да, пожалуй!

Отхлебнув кофе с коньяком, Роберт вдруг положил руку на руку Тимура и сказал очень прочувствованно:

— Тимур, у меня даже нет слов, чтобы выразить тебе мою благодарность. У меня ведь было ощущение, что жизнь кончилась, рухнула в одночасье, а теперь передо мной открывается перспектива какой-то другой жизни, совершенно неведомой, но захватывающе интересной... Я всегда ценил и любил русскую литературу, но это было что-то... как бы это сказать... отдельное от понятия «Россия», которое со времен моей ранней юности стало какой-то идиотской страшилкой... Такая глупость... И сейчас мне здесь так невероятно интересно!

...Вечером к Сандре приехал сын.

— Наконец-то! — обрадовалась она. — Я так соскучилась. Что слышно, что нового?

— Что нового! Корплю над дипломом! А ты как?

— Нормально. Пишу портрет семилетней девчушки, дочки одного богатющего бизнесмена. Девочка само очарование и уже заявила, что мечтает стать твоей женой!

— Моей? — рассмеялся Алексей.

— Да! Она потребовала показать ей фотографию моего сына в телефоне. Так что имеешь шанс лет через десять стать зятем ну очень богатого человека. Он, кстати, не примитивный набоб, а весьма неглупый и хорошо образованный чел. Правда, теща там, похоже, будет не приведи господь. Безвкусица в доме та еще, горничная одета как в старом английском кино, и вообще она подруга Верочки Белецкой.

— Мам, кажется, для тебя нет более порочащего звания, чем подруга Верочки Белецкой, — улыбнулся Алексей.

— О да! Предельно отвратительная баба, эта Верочка, хотя нет, беспредельно отвратительная!

У Сандры зазвонил телефон. Тимур!!!

— Алло!

— Сандра, дорогая, это Тимур! Помнишь еще такого?

— Смутно.

— Ну хоть смутно, и то хлеб. Я скучал.

— И что?

— Ты сердишься на меня! Я счастлив!

— Не поняла!

— Ну, если сердишься, значит, я тебе не безразличен. А я чуть с ума не сошел от тоски...

— Я даже не думала сердиться и что-то не припоминаю, чтобы мы пили на брудершафт.

— Так! Отлуп по полной программе. Ну что ж, пожалуй, я это заслужил. Просто хочу напомнить, на чем, собственно, мы расстались...

Голос Тимура звучал вкрадчиво и даже как-то опасно.

— Мы, насколько я помню, договорились вместе прыгнуть в сугроб и еще... я спросил, прыгать будем до или после... Так причем тут брудершафт?

— Вы наглец!

— Да! Я такой. И все это не состоялось тогда не по моей вине, хочу напомнить!

— Да, я тогда свалилась с температурой. А вас, видимо, так взбесил облом, что вы возникли лишь через два месяца и полагаете, что... Впрочем, снег растаял, как и прочие... нюансы. Всех вам благ, Тимур!

Алексей, присутствующий при разговоре, сидел, вытаращив глаза.

— Мам, что это было? Это какой Тимур? Тот, с которым я познакомился в самолете? У тебя с ним что-то было?

— Ничего! Ровным счетом ничего! Он наглец, а я этого не терплю. Все!

— Ну ты крутая! Но все же с совершенно чужим человеком ты бы не стала так разговаривать.

— Лешка, хочу напомнить, мы с тобой два взрослых человека и не лезем в личную жизнь друг друга.

— Ага, значит все-таки Тимур часть твоей личной жизни? — насмешливо проговорил Алексей. — И он чем-то здорово тебя рассердил. Мне жаль его!

— Лешка, гляди, огребешь подзатыльник!

— Все-все, умолкаю!

Сандра и сама не понимала, с чего она вдруг так завелась. В конце концов, он прав, наше свидание с прыжками в сугроб сорвалось по моей вине. Он-то чем виноват? Или я просто злюсь на себя за то, что меня так неудержимо потянуло тогда к нему, даже на мгновение показалось, что это чуть ли не любовь... Дурища! Идиотка! А он, видно, тоже здорово распалился, и вдруг такой внезапный облом... Ни разу даже не удосужился справиться о здоровье, а возник через два месяца и решил, что теперь даже прыгать никуда не надо, только прямиком в койку? Нет, Тимур Сергеевич, не на такую напали!

И она со злости шмякнула об пол красивую пепельницу богемского стекла. Та разлетелась вдребезги. Стало легче.

Портрет Вероники, казалось, будет на редкость удачным. Сандре очень нравилась ее модель. Девочка была милая, смышленая и так живо на все реагировала, что общение с нею доставляло Сандре искреннее удовольствие.

Во время сеансов неизменно появлялась горничная Нина с подносом.

— Вот, Александрина Юрьевна, попейте кофейку...

— Спасибо большое, Ниночка, кофе у вас отменный! Вот, пожалуй, прямо сейчас и выпью, я утром не успела...

— Ой, а можно я в туалет сбегаю? — спросила Вероника.

— Конечно! Беги!

Девочка умчалась. А Нина вдруг перешла на тревожный шепот:

— Ох, Александрина Юрьевна, миленькая, что я вам скажу! Вы ни за какие коврижки никуда по дому не ходите!

— Простите, что? — не поняла Сандра.

— Я вчера случайно услыхала, как хозяйка наша по скайпу со своей теткой разговаривала...

— А разве хозяйка не уехала?

— Да уехала, уехала. А тетка ее тут в доме всем распоряжается. Так вот, хозяйка тетку про вас расспрашивала, а тетка возьми и скажи, что Роман Евгеньевич очень уж вокруг вас увивался.

— Что за бред!

— Ну, бред — не бред, а она так сказала. И тогда хозяйка велела ей как-то вас подставить. Кольцо дорогущее подкинуть...

— Эта идиотка полагает, что я польщусь на ее кольцо? — вне себя выкрикнула Сандра. — Я сию же минуту уезжаю!

Сандра схватила кисти, но Нина умоляюще зашептала:

— Ради бога, ради бога, меня же вон выкинут, а мне эта работа позарез нужна, мне нельзя без работы... Вы только из зимнего сада никуда не ходите, сюда им нет резона ничего подкидывать, тут камер нету, а так по всему дому камеры. Ой, мне пора! — подхватилась Нина и быстро ушла. Тут вернулась Вероника, забралась с ногами в свое кресло и весело заявила:

— Я готова!

Сандру колотило, но она взяла себя в руки и продолжала работу. Надо потом хорошенько все обдумать...

— Тетя Сандра, что с вами? — спросила минут через десять Вероника. — Вы на меня сердитесь?

— Да бог с тобой, детка, за что мне на тебя сердиться?

— Но вы же сердитесь!

— Да! Сержусь! Но ты тут ни при чем. Мне просто позвонил один человек... Вот на него я и сержусь.

— Поняла, — лукаво улыбнулась Вероника, — он ваш... возлюбленный?

Сандра невольно рассмеялась.

— Нет, не возлюбленный. Это деловой звонок был.

— А у вас есть возлюбленный?

— Сейчас нету.

— А почему?

— Видишь ли, у меня скверный характер. А возлюбленные не желают с этим мириться. Им потакать надо, возлюбленным, понимаешь?

— Не очень.

— Дело в том, Вероника, что в моем возрасте хочется уже чего-то нормального, спокойного...

— Чего-то или кого-то?

— Ничего себе вопрос! Не детский, я бы сказала. Короче говоря, сейчас у меня нет возлюбленного. Но мне и не надо!

— Я подумаю над этим.

— Вот-вот, подумай!

— А я уже подумала! — заявила Вероника минут через пять. — Вы очень хорошая, и очень красивая, и это совсем неправильно, что у вас нет возлюбленного. Надо искать!

Тимур и Роберт встретились с Вениамином.

— Вот, Венька, доставил тебе твоего героя. Он тоже, некоторым образом животное из Красной книги, — со смехом сказал Тимур.

— Это великолепно! Знаешь, как на канале обрадовались, чуть из штанов все не повыпрыгивали! Еще бы, такой лакомый кусок аж из самого Голливуда. Конечно, хотели, сволочи, отдать его в другие руки, но я сказал, что он согласен работать исключительно со мной. Я прав, Роберт?

— Тысячу раз прав! Я лучше буду каким-нибудь кугуаром или красной пандой, чем озлобленным неудачником. Так и снимай про кугуара!

— О, супер! Ты молодец, Бобби, настоящий мужик! — хлопнул его по плечу Вениамин.

— За что и пострадал, — с улыбкой заметил Тимур. — Ну, я, пожалуй, уже не нужен? Могу быть свободным? А ты, Венька, потом доставь Бобби до дому, ладно?

— Тимка, ты линяешь? Так нечестно!

— Господи, я-то зачем здесь нужен?

— Ну, для моральной поддержки.

— Кого я должен морально поддерживать, Боба или тебя?

— Обоих!

— Да идите вы к черту, сами занимайтесь своими фильмами, я только подал идею, и хватит с вас.

— А мы в титрах обязательно напишем: идея Тимура Альметова.

— Ой, я тебя умоляю! Кто эти титры читает! Ладно, я пошел, у меня в Москве есть чем заняться!

— Чем или кем?

— А это уже мое дело.

— Между прочим, это я тебя с ней познакомил.

— Вот и чудесно, значит, мы квиты, — хмыкнул Тимур, хлопнул Роберта по плечу, держись, мол, и ушел.

Выйдя на улицу, он вновь набрал номер Сандры, но она не ответила. Он подумал, не послать ли сообщение, но потом решил, что не стоит. Надо просто приехать к ней, и пусть она в лицо мне скажет, что не хочет меня знать. Вот прямо сейчас и поеду, чего тянуть... Так хочется ее хотя бы просто увидеть. А если ее нет дома? Ничего, подожду. Хотя погода для ожидания на улице не очень-то подходящая. Эх, надо было все-таки взять машину отца. Стоп, я же могу взять машину в аренду — и дело с концом. Сказано — сделано! Он арендовал машину пока на неделю, а там будет видно.

Тимур подъехал к дому Сандры в страшном волнении. Черт побери, что это со мной?

На участке никого не было видно, но это ровным счетом ничего не значит. Он посигналил. Никакой реакции. Что ж, подождем. Он взял предусмотрительно купленный термостакан с кофе, отхлебнул. Ах, хорошо! В запасе имелись еще две сдобные булочки, но пока есть не хотелось. Между тем начинало смеркаться.

И вдруг в доме зажегся свет. Там кто-то есть? Похоже на то! Вот стерва! Или это Лешка?

Тимур решительно вылез из машины и позвонил у калитки.

— Кто там? — спросил мужской голос.

— Леша, это Тимур Сергеевич.

— Вам нужен Леша?

— Да, — ляпнул Тимур, заподозрив неладное.

Что-то щелкнуло. Тимур толкнул калитку, она открылась. Тимур прошел по дорожке к дому. Ну, если это не Лешка, значит, скорее всего, пресловутый Артем, любовник, который моложе Сандры? Ну что ж, поглядим.

Дверь ему открыл мужчина лет тридцати семи примерно, атлетически сложенный, с хорошим открытым лицом. Он окинул Тимура неприязненным взглядом.

— Если вам нужен Алексей, то его здесь нет. Могу дать вам его телефон.

— Спасибо, но вообще-то мне нужна Сандра.

— Зачем?

— Нам с ней необходимо выяснить одно недоразумение.

— Ее нет дома.

— Простите, а вы кто?

— А вам какое дело? — хмуро осведомился мужчина.

— А вы не очень-то вежливы и гостеприимны, молодой человек. Скажите, когда вернется хозяйка?

— Боюсь, не скоро.

— Вы позволите мне ее подождать?

— В доме? Разумеется, нет. Откуда мне знать, кто вы такой?

— Ну что ж, подожду в машине.

— Черт с вами, зайдите! — вдруг сказал Артем. — Только я с вас глаз не спущу.

— Да ради бога, — усмехнулся Тимур. Он понял, что Артема разбирает ревность и любопытство, те самые чувства, что сейчас терзали его самого.

— Выпить не предлагаю, вы за рулем. Могу предложить только чай или кофе.

— Спасибо, ничего не нужно.

— Итак, откуда вы взялись?

— Я? Из Нью-Йорка.

— Не ближний свет.

— Да уж.

— И вы прилетели в Москву из-за Сандры?

— Не совсем. Я здесь из-за своего отца, но очень хотел бы увидеть Сандру. Ну, а вы ей кем приходитесь?

— Боюсь, тем, кем хотели бы приходиться вы.

Тимур рассмеялся.

— Откровенно, но не по-джентльменски, молодой человек.

— Американец будет учить меня джентльменству? Анекдот!

Артем был в замешательстве. *Зачем я впустил этого типа? Он красавец невозможный и ему нужна Сандра, моя Сандра! Или уже не моя? А разве была она когда-нибудь моей? Разве что в постели... Но это ведь мало что значит в сущности... А у этого такие черные глазищи и, кажется, он читает все мои мысли... Может, просто набить ему морду, эту наглую красивую* морду, и выгнать взашей? Очень хочется, просто руки чешутся. Только я ведь не знаю, что их связывает. А вдруг Сандра не простит мне, если я набью ему морду?

— Не стоит, молодой человек, — вдруг произнес Тимур.

— Что?

— Не стоит, говорю, драться со мной. Бессмысленно.

— Да с чего вы взяли?

— А у вас на лице написано, как сильно вам хочется набить мне морду.

— А вы что, мысли читать умеете?

— Как видите! — усмехнулся Тимур.

Этой усмешки Артем уже не вынес. Он вскочил и схватил Тимура за грудки. Тот ловко стряхнул его руки.

— Что здесь происходит, черт бы вас побрал!

Они инстинктивно отпрянули друг от друга. На пороге комнаты стояла Сандра, и лицо ее не предвещало ничего хорошего.

— Что это значит? Как вы сюда попали? И что это за разборки? Убирайтесь отсюда оба! Немедленно! Артем, мы, кажется, все выяснили. Отдай немедленно ключи!

— Да, но со мной-то ничего не выяснено! — подал голос Тимур.

Она уничтожила его взглядом.

— На выход! Оба! Немедленно! Артем, ключи!

— Да подавись ты! — он швырнул ключи на диван и стал медленно натягивать куртку, не желая ни за что уйти первым.

Сандра швырнула Тимуру его куртку.

— Уходите!

— Но послушайте, Сандра... Я должен объяснить...

— Не желаю слушать никаких объяснений. Вздумали устроить у меня в доме бой быков, не выйдет! Быстро! Быстро!

Артем вышел первым, но придержал дверь, пропуская Тимура. Тому ничего не оставалось, как подчиниться. Они оба зашагали к калитке.

— Слушай, чего она так взбеленилась? — спросил вдруг Тимур. — Явно не из-за меня. У нас с ней ничего не было.

— Да?

— Да!

— А у нас... все было... уже два года... Я звал ее замуж, мы поругались, я ее послал... Вот чертова баба! Тебе она нужна? Бери, уже не жалко!

С этими словами Артем сел в свою машину, и дал по газам. Может, вернуться? — мелькнуло в голове у Тимура. Нет, сейчас не стоит, пусть остынет. А вот завтра надо приехать с самого утра... Но до чего она хороша в гневе! И ведь гнев был неподдельный. Только на кого она так разгневалась? На Артема? А он явно хороший парень... Нет! Надо вернуться сейчас же! Нельзя дать ей опомниться. И он почти бегом вернулся к дверям дома. Позвонил.

— Кто?

— Тимур.

— Я, кажется, ясно сказала...

— Но мне сказать не дали! Откройте, Сандра!

— И не подумаю!

— Но это же глупо, а вы вовсе не дура. Или я ошибаюсь?

Вот сволочь хитрая, подумала Сандра. И открыла дверь.

— Ну, что вам надо? — сердито спросила она.

— Пока только поговорить.

— Пока?

— Ну да. С момента вашей болезни в моих чувствах ничего не изменилось.

— Вы наглец! И о каких чувствах вообще речь? Это было так... минутное помрачение.

— Возможно, у вас, но не у меня. Дайте чашку кофе!

— Начинается!

— Слава богу!

— Что?

— Слава богу, что начинается... Так хочется, чтобы началось...

— И не мечтайте! Поезд ушел.

— Ну, тот ушел, поедем на следующем!

Сандре вдруг стало смешно. И он был сейчас такой красивый, черные глаза метали веселые молнии. Нет, надо держать себя в руках... Он опасный! Наглый! Ненадежный! — уговаривала она себя.

— Вот! Пейте кофе и проваливайте!

— Скажите, Сандра, это и есть тот ваш любовник, который младше вас?

— Допустим. И что дальше?

— Он, видно, хороший парень. Но для вас, пожалуй, слишком хороший. Вам больше нравятся плохие парни, вроде меня!

— Это вы-то плохой парень? Не обольщайтесь! Вы это придумали себе. Вы парень из интеллигентной московской семьи, удрали в Америку и назло отцу пустились во все тяжкие. Но это вам так казалось! Вы слишком рациональны, с вашей интуицией и умением все до мелочи просчитать заранее, вы всегда сторонились истинно плохих парней и плохих компаний, а в результате вернулись в родительское гнездо... Допускаю, что в свое время у вас была прорва баб, но сейчас, с этим идиотским харассментом, вы стали очень осторожны, и это вас утомляет. В России с этим делом пока еще более или менее нормально...

— Хватит молоть чушь! Понимаю, вы злитесь на меня за то, что я исчез...

— Да боже сохрани! Говорю же, это было минутное помрачение!

— У вас отвратительный характер!

— Я знаю.

— А я жутко упрямый!

С этими словами он поставил на стол кружку с кофе, медленно поднялся и вдруг мгновенно схватил ее в объятия. Попытался поцеловать в губы. Она яростно сопротивлялась.

— Сию минуту отпустите меня, наглец!

— Звучит очень театрально! — засмеялся он.

— Хочешь, чтобы я врезала тебе по яйцам?

— А попробуй! Ну что ты бесишься? Я, может быть, люблю тебя, рыжая ведьма!

— О! Думаешь, я после этих слов растаю?

— Да нет, я уж понял, что с тобой любые слова ничего не стоят. Как там обстоит с сугробом? Пошли, прыгнем!

И он буквально поволок ее к двери черного хода.

— Пусти, дурак! Нет там сугроба, растаял!

— Ну и пусть! А я все равно не пущу!

Он держал ее мертвой хваткой и вдруг посадил на кухонный стол, сжимая обе ее руки у нее за спиной, и поцеловал в губы. Она затихла. Он целовал ее долго-долго, и она вдруг ответила ему. Он выпустил ее руки. Она обняла его за шею.

— Дурак, наглец, — шептала она между поцелуями.

Он схватил ее в охапку и отнес на диван.

Едва отдышавшись, она вдруг заявила:

— Терпеть не могу!

— Чего ты терпеть не можешь? — нежно проворковал Тимур.

— Черноглазых жгучих брюнетов!

— Ну, вообще-то я не заметил...

— Наглая американская морда!

— Вот те раз! — засмеялся Тимур. — И что дальше?

— А ничего! Чпокнулись и до свиданья! Уходи!

— И не подумаю! Мне очень понравилось, просто очень! И тебе, кстати, тоже, сколько бы ты тут ни выкаблучивалась! Между прочим, я понимаю, что с тобой творится.

— Да? Как интересно! И что же?

— Тебя ко мне тянет не меньше, чем меня к тебе, но я мужик простой — тянет, я тянусь, и, как правило, дотягиваюсь, а ты дамочка с вывертом, тебе необходимо покобениться, а уж если дала слабину, не можешь этого простить, причем, не себе, а партнеру, злишься, даже бесишься, потому что на самом деле хочешь еще, а сказать — выше твоих сил. Но учти, я читаю тебя как открытую книгу...

И он опять накинулся на нее. Она не только не сопротивлялась, но отвечала с не меньшей страстью.

Они уснули только под утро.

Сандра проснулась от звонка будильника. Ей предстоял сеанс у Сутыриных, но после того, что ей вчера сообщила Нина, она решила взять тайм-аут и подумать, как быть дальше. Она позвонила водителю, возившему ее туда, и сказала, что простудилась и сегодня поехать не сможет.

Ночью с дивана в гостиной они перебрались в ее спальню на втором этаже. Наглая морда, с нежностью думала Сандра, умный, скотина, и вправду все про меня понимает, как и я про него... И с ним так хорошо... Чего я, дура, ере- пенилась? Надо приготовить ему хороший за- втрак, мужик столько калорий ночью потратил. Она быстро приняла душ, подкрасилась и по- бежала на кухню.

Тимур тихонько спустился по лестнице и прислушался. Из кухни доносились умопомра- чительно вкусные запахи, звуки утренней до- машней возни. Хлопала дверца холодильника, звякала посуда, лилась вода... Черт возьми, как хорошо! Интересно, как она себя поведет?

— С добрым утром...

Она обернулась. Лицо ее сияло весельем.

— Ты хотел сказать — с добрым утром, фурия?

— Да, я только не знал, что будет лучше, фурия или мегера.

— С добрым утром, наглая морда!

— Солнышко мое рыжее!

— Брюнетик мой ненаглядный!

— Ну что, мне перекраситься, что ли?

— Нет, ни в коем случае! После вчерашнего я, кажется, оценила эту расцветку... И потом, вместе мы очень уж эффектно выглядим, а я это ценю. Ладно, хватит нести эту любовную чушь, садись завтракать!

— Пахнет вкусно. Если честно, я жутко голоден. Ты из меня все соки выпила...

— Я учла потерю калорий! Ешь!

Завтрак был на диво вкусным и обильным. Тимур наслаждался.

— А ты еще и кулинарка... Обалдеть! Не женщина, а истинное сокровище!

— Но я же фурия!

— А это здорово заводит! И потом, когда тебя усмиришь, ты такая невозможная прелесть... Умная, нежная, веселая... Лучше женщины я не встречал. А после такого завтрака я твой раб навеки вечные! Слушай, а выходи за меня замуж?

— Да ни за что!

— Почему?

— А на фига? Я знаю про тебя, собственно, только одно — ты великолепный любовник. Вот и оставайся для меня в этом качестве, пока не надоест.

— Весьма цинично, однако!

— Ну, в самом деле, о каком браке может идти речь? Ты в Америке, я здесь...

— Я намерен вернуться. Насовсем.

— И чем ты будешь здесь заниматься?

— Найду! Я парень способный. И потом, у меня есть деньги, альфонсом я не буду.

— Ах, да при чем здесь деньги! — поморщилась Сандра. — Просто мужчина должен чем-то заниматься...

— А знаешь, я, пожалуй, даже понимаю тебя. Кто я, в сущности, такой? Раньше был невозвращенцем, а теперь вот буду возвращенцем... без статуса, без имени... Ты хорошо дала мне по носу. Молодец! Но учти, меня такие истории не обескураживают, а, наоборот, заводят. Но пообещай, что если через, допустим, год я уже приобрету хотя бы какой-то статус, ты выйдешь за меня замуж.

— Ну, обещать я не буду... Мало ли что за это время случится в моей или в твоей жизни...

Тимур внимательно смотрел на нее. Несмотря на некоторый цинизм и вроде бы безразличие, в глазах ее читалась неподдельная нежность... *Защищается, дурочка, боится. Видно, обжигалась не раз...*

— Сандра, как бы там ни было, я свое слово сказал и отступаться от него не собираюсь. И еще, если тебе понадобится какая-то помощь, ты всегда можешь на меня рассчитывать.

— Да? — задумчиво проговорила она. — Тогда посоветуй мне...

— Попробую!

И Сандра вдруг рассказала ему всю историю с Сутыриным и с коварным замыслом его супруги.

— Вот скажи, что мне делать?

— А что собой представляет эта девушка, Нина? Ты же умеешь видеть людей насквозь? Как по-твоему, она не врет?

— Зачем ей это? Нет, она просто нормальная порядочная девушка, которая боится потерять место. Вот и все.

— А этот Сутырин явно к тебе неравнодушен.

— Да бог с ним, мне это сто лет не надо! Но я уже начала портрет девочки, девочка прелесть... Да и деньги нужны... Просто бросить работу ни с того ни с сего... Я, честно сказать, растеряна.

— Я попробую дать тебе совет.

— Попробуй!

— Предложи этой Нине перейти на работу к тебе. И откровенно расскажи все Сутырину. Мало этой бабенке не покажется, вот увидишь.

— А зачем она мне нужна, Нина?

— Ну, если тебе не нужна, пристрой ее в какой-нибудь хороший дом, к приличным людям. Я убежден, что ей там хреново, в этом доме, если за несколько просто добрых слов она предупредила тебя о готовящейся провокации...

— Мысль здравая. Я сейчас!

Сандра схватила телефон и принялась что-то искать в нем.

— Ага, вот! Два года назад мадам Сутырина с грандиозным скандалом выгнала горничную, обвинив ее в краже дорогущего кольца, и не постеснялась вызвать девушку на детектор лжи на телевидении. Но во время программы выяснилось, что девушка кольца не крала, а хозяйка не только не извинилась перед ней, но еще и всячески ее оскорбляла.

— Какая прелесть! — воскликнул Тимур. — Как ты могла связаться с такой семейкой? И как этот твой замечательный Сутырин мог не развестись с этой стервозой? Мой тебе совет, договорись с Сутыриным о конфиденциальной встрече и расскажи ему все. И ей-богу, возьми эту Нину к себе! Такой большой дом надо убирать, поддерживать порядок. Да мало ли что в доме нужно... Отдай ей комнату возле гаража. Да она счастлива будет, и тебе хорошо.

— А что... В этом что-то есть... Я уверена, что эта жлобина платит ей не так уж много, я это потяну. Но все-таки я должна сперва поговорить с Ниной, прежде чем выкладывать все Сутырину.

— Права! И вот за это я люблю тебя еще больше.

— За что?

— За старомодную порядочность.

— Да, к сожалению, эпитет «старомодная» тут вполне уместен... Что ж, Тимур, спасибо. Вероятнее всего, я так и сделаю. Завтра же поеду и попробую поговорить с Ниной. А дальше будет видно.

— А знаешь, я, пожалуй, поеду. У меня же там голливудский секс-символ без присмотра...

— Какой еще секс-символ?

— Роберт Шерман. Знаешь такого?

— Ой, я его обожаю!

— В самом деле? А хочешь, я привезу его к тебе?

— Хочу! Конечно, хочу, но что он делает в Москве?

— Ах да, ты же ничего не знаешь! Почему я так внезапно сорвался тогда, зимой? Дело в том, что Роберта обвинили в злостном сексизме, и по этому поводу феминистки разбили витрину в моем магазине в Чикаго...

— А ты здесь при чем?

— У меня в магазинах висела реклама — Бобби с моими машинками... Мы старые приятели. Но травля начала набирать обороты, Бобби сняли с роли, закрыли новый проект с ним, и вся наша добропорядочная публика от него отвернулась. Ну, я привез его в Москву, а тут Венька собирается снимать про Бобби фильм.

— Обалдеть! Как все интересно... А ты молодец! Уважаю. И где твой Бобби живет?

— У отца на даче, где ж ему еще жить? Он хороший нормальный парень, начитанный...

— Он жутко обаятельный.

— Я должен ревновать?

— Откуда я знаю! Я ж его только в кино видела, — лукаво улыбнулась Сандра. — А он что, будет просить у нас политического убежища?

— Не думаю. Он сказал, что хочет вернуться к себе в Небраску и заняться сельским хозяйством.

— Ну, это вряд ли...

— Да почему? Очень даже возможно.

— Скажи, это ты придумал, чтобы Венька снял про него фильм? — задумчиво глядя на Тимура, спросила Сандра.

— Не специально. Просто Венька позвонил мне, что будет в Нью-Йорке, как раз когда Бобби жил у меня, ну и вот...

Она вдруг подошла к нему и поцеловала в щеку.

— Все! Езжай к своему Бобби!

— Ладно. А ты что сейчас будешь делать?

— Лягу спать! Я так не выспалась...

— Не буди во мне зверя!

— Даже не собираюсь! Все! Вали отсюда!

На даче у отца дома была только Авдотья Семеновна.

— Тимур Сергеевич, кушать не желаете?

— Да нет, спасибо большое, я сыт! А где все?

— Сергей Сергеевич уехал в институт, а за Робертом приехал Вениамин Палыч, который вчера его привез.

— Мне никто ничего не передавал?

— Нет, Тимур Сергеевич.

А не поспать ли и мне? Пожалуй, это будет нелишним.

И он завалился спать.

Под вечер он позвонил Сандре.

— Привет! Я уже соскучился!

— А ко мне сын приехал, Лешка...

— Понял. Мне не приезжать?

— Нет.

— А что ты решила с этим Сутыриным?

— Завтра поеду и попробую поговорить с Ниной. Чем дальше, тем больше мне нравится твоя идея взять ее сюда. И Лешка тоже одобрил эту мысль. Я, конечно, ничего ему не рассказывала, просто сказала, что хочу взять кого-то в дом...

— Отлично! Но прошу тебя, позвони мне после разговора с ней, ладно?

— Обязательно! А как там твой сексист?

— Я его еще не видел. Он с Венькой. Я целую тебя, рыжая ведьма!

— И я тебя, мой Черныш!

— Черныш? Похоже на собачью кличку. Но я не против. Пусть Черныш... А черных собак еще Цыганами кличут!

— Нет, Черныш мне больше нравится. Господи, что мы с тобой плетем!

— Нормально! Называется, любовный бред! — счастливо рассмеялся Тимур. Он действительно чувствовал себя таким счастливым, как, вероятно, никогда прежде. *Неужели я нашел свою женщину?*

Сандра подъехала к дому Сутырина с ощущением какой-то гадливости, что ли...

— Тетя Сандра, вы выздоровели?

— Да, детка, это оказалась не простуда, а аллергия. Я выпила таблетку и все прошло! Ну, будем работать?

— Да! Я скучала без вас! С вами так интересно!

— Вот и славно! Садись, ты уже знаешь, как. Отлично!

Через минут сорок появилась Нина с подносом.

— Доброе утро, Александрина Юрьевна!

— Доброе утро, Ниночка!

— Кофейку выпьете?

— С удовольствием! Вероника, можешь пять минут побегать, если хочешь!

— Да! Я скоро!

Девочка умчалась.

— Нина, мне необходимо с вами поговорить!

— Ой, о чем это?

Сандра говорила едва слышно.

— А вы не хотели бы сменить место работы?

— Как это?

— Нина, у вас бывают свободные часы?

— Нет, только в воскресенье.

— Я хочу предложить вам работать у меня. Я предоставлю вам комнату. У вас будут два выходных и платить я вам буду столько же, сколько здесь. Да и вообще...

— Вы это серьезно, Александрина Юрьевна?

— Абсолютно. Но нам надо поговорить подробнее, вот вам мои телефоны, позвоните мне в субботу и в воскресенье мы встретимся.

— Так сегодня же суббота!

— Значит, встретимся завтра. Это важно и для меня, и для вас.

— Тогда, может, прямо сейчас и договоримся. Я могу в одиннадцать часов в...

— Какое-нибудь кафе в Москве знаете?

— Кафе?

— А давайте встретимся в ГУМе? Поедим мороженого и поговорим. Там людно, и никто на нас внимания не обратит.

— Вот здорово! Да, я приеду! В одиннадцать! — и с этими словами девушка быстро ушла.

Она славная, забитая какая-то... У меня ей будет хорошо...

Под вечер к Сандре примчался Тимур. Его черные глаза так сверкали, когда он вручал ей вынутый из-за пазухи букет ландышей.

— Господи, где ты сейчас добыл ландыши? Это почти как подснежники в «Двенадцати месяцах»!

— О, «Двенадцать месяцев» во МХАТе — мой первый в жизни театральный спектакль! «Пробирается медведь сквозь густой валежник, стали птицы песни петь»...

— «И расцвел подснежник!» — закончила Сандра, и они кинулись друг другу в объятия.

— Господи, какое это счастье, ведьма моя рыжая, когда столько общего... Когда можно начать фразу, а ты ее заканчиваешь... И вообще... Оказывается, в Москве столько счастья!

— А ты сентиментален, Черныш!

— Как сейчас выясняется, да... И все из-за тебя!

— Ты голоден?

— Пока нет. Скажи, ты говорила с Ниной?

— Я завтра встречусь с ней на нейтральной территории.

— Разумно! В том доме и у стен наверняка есть уши.

И он принялся целовать ее.

— Погоди, надо же сперва ландыши поставить. Это мои любимые цветы. Ландыши и сирень.

Она достала вазочку из темного стекла в форме корзиночки и поставила в нее ландыши.

— Слушай, это идеально! — воскликнул Тимур. — Так красиво... Впрочем, как и все у тебя в доме, и ты сама...

Она кормила его завтраком.

— Послушай, может, мне поехать с тобой?

— Куда это?

— На встречу с Ниной.

— Зачем? Это совершенно нелепая идея. Вдвоем мы нормально поговорим. А ты зачем там нужен?

— Да, пожалуй, ты права... Просто так не хочется с тобой расставаться. Но давай тогда пообедаем где-нибудь вместе?

— Там видно будет!

— А ты суровая...

— Жизнь заставила.

— Скажи, а ты... любишь меня?

— Вообще-то это типично женский вопрос, — засмеялась Сандра, — пока я могу сказать только, что влюблена в тебя. Как кошка! О любви говорить еще рано. Я так считаю. Да и ты просто влюблен в меня...

— Как кот?

— Нет, как черный леопард!

— Ручной, по кличке Черныш...

— Ну, ручной, я думаю, только на первых порах. Боюсь, ты еще можешь запросто меня сожрать... Да, а как там твой Бобби?

— О, вчера вернулся домой, совершенно обалдевший от русского гостеприимства и от русских девушек! Говорит, они самые красивые в мире!

— Но пусть все-таки будет осторожен, а то какая-нибудь красотка обвинит его черт-те в чем и еще потащит на телевидение. Или заставит жениться и будет всячески на всю страну подтверждать его репутацию сексиста.

— Это он и сам понимает. Боится их как огня. Но ему здорово нравится Москва, он вспоминает всю русскую литературу, которую знает, и плывет от счастья. Толстой, Чехов...

— Кстати, своди его в театр Моссовета, там идет удивительный спектакль «Дядя Ваня» в постановке Кончаловского. Я вообще-то не люблю пьесы Чехова, но этот спектакль мне страшно понравился...

— И с кем ты на него ходила?

— С женой Игоря.

— Слава богу, не с Артемом.

— О, Артем терпеть не может театр.

— Больше ни слова о нем!

— Это ты его помянул. Не я.

— Да, я схожу с ума, когда думаю о том, что ты с ним...

— Я тебя умоляю, кончай эту бодягу! И вообще, мне пора собираться. А ты уезжай!

— А давай, я тебя довезу, а потом мы встретимся, пообедаем и вернемся сюда...

— Нет!

— Почему?

— Потому что... Хорошенького понемножку! Займись лучше своим другом. Я знаю Веньку, он когда что-то снимает или только готовится к съемкам, он как одержимый, а твоего Роберта возьмут в оборот какие-нибудь прохиндеи или, того хуже, прохиндейки! Все-таки он в совершенно другом мире, да еще и полностью выбит из привычной колеи. А я тут не пропаду, уж будь уверен!

— Пожалуй, ты права, просто я совсем потерял голову. Похоже, снег и лед и впрямь твоя стихия. Хотя ночью я бы так не сказал.

— Ну так утро вечера мудренее, забыл в своей Америке?

Сандра приехала чуть раньше назначенного срока. Разумеется, они договорились встретиться с Ниной «в центре ГУМа, у фонтана», хотя сейчас фонтан был закрыт рекламными щитами. Сандра подошла к нему, огляделась.

— Александрина Юрьевна!

— Ниночка, вы уже здесь, какая точность!

— Я очень боялась опоздать!

Девушка выглядела прелестно. Настороженно-испуганное выражение исчезло из глаз. Она была изящно одета, скромно, но вполне достойно.

— Мороженое будете? — спросила Сандра.

— Спасибо, нет, у меня немножко горло побаливает.

— О, тогда пошли пить кофе! Кофе вам не повредит?

— Нет. Кофе я могу...

Сандра уверенно провела ее в кафе, окна которого выходили на Красную площадь.

— Ну вот, Нина, что я вам хочу сказать... Вернее, предложить. Я живу за городом, одна, у меня довольно большой дом, не такой огромный, как у господ Сутыриных, конечно. Могу отвести вам отдельную комнату. Никаких особых заморочек у меня нет. Иногда приезжает мой сын, иногда бывают гости, но в основном все-таки я одна...

— Извините, а мужа у вас нет?

— Мужа нет, есть любовник.

Девушка вздрогнула от такой откровенности и покраснела. Сандра слегка усмехнулась.

— Так вот, в ваши обязанности входит поддержание порядка в доме, ну, вы наверное сами понимаете...

— А готовить? Я не очень умею...

— А я вас научу! Но это все тоже без заморочек. У меня живет попугай, когда меня нет, его надо покормить, налить водички, почистить клетку...

— Простите, Александрина Юрьевна, а почему вы решили меня позвать?

— Я вам очень благодарна за то, что вы меня предупредили о подставе, которая мне грозила. И еще — я хочу рассказать обо всем Роману Евгеньевичу. Пусть знает, с кем живет. Он, по-моему, более или менее, нормальный мужик...

— Ох, это было бы хорошо... Но она же взбесится и во всем обвинит меня... Я ее боюсь!

— Так тем более надо бежать из этого дома.

— Она обязательно скажет, что я что-то у нее украла... Вы слыхали, что было с Мириам, девушкой, которая до меня там работала?

— Эта история с якобы украденным кольцом?

— Ну да! Мне их кухарка рассказывала, что после передачи по телеку, ну с детектором лжи, Роман Евгеньевич так лютовал! Сказал, еще одна такая история — и он с ней разведется... Веронику жалко, она хорошая девчонка, а мамаша ей такое внушает... Она как-то увидала, что Вероника разговорилась с садовником. Боже, что она

кричала: что девочке из хорошей семьи неприлич-
но разговаривать по душам с прислугой... Ну и все
в таком роде. Девчонка плакала... «А с кем же мне
разговаривать?» Ну, короче, вы сами все понимаете. Александрина Юрьевна, вы это все всерьез? Вы и вправду хотите, чтобы я у вас работала?

— Ну конечно. Иначе зачем бы я вообще
затевала это все? Кстати, у меня вы всегда можете отпроситься, что называется, сделал
дело — гуляй смело!

— И вы хотите поговорить с Романом Евгеньевичем?

— Ну да! Я объясню ему, что не могу больше бывать в его доме. Он поймет, я думаю.

— И скажете ему, что узнали от меня?

— Ну да! А что? Думаете, он не поверит?

— Ну, сперва, конечно, поверит, а потом...
она запудрит ему мозги. И она еще что-то такое
удумает, что... Нет, простите, но я боюсь! Ради
бога, простите, что зря отняла у вас время, но
нет... Я боюсь!

Она вскочила и бросилась прочь.

Сандра сидела в полной растерянности. Это
надо же так запугать человека... Сандра была
вне себя. И решила немедленно поговорить с
Сутыриным. Будь что будет!

— Сандра, вы? — явно обрадовался он.

— Роман Евгеньевич, мне совершенно необходимо с вами поговорить с глазу на глаз!

— Что-то случилось?

— Да!

— А по телефону никак?

— Увы. Никак!

— Это как-то связано с Вероникой?

— Нет. Это связано с вашей женой, — твердо проговорила Сандра.

— Но моя жена сейчас в отъезде.

— Тем не менее. Короче, я не могу больше бывать в вашем доме. И если вы хотите, чтобы я закончила портрет Вероники, то пусть девочку привозят ко мне. Это мое последнее слово!

— Хорошо, вы позволите, я сегодня приеду к вам?

— Я сейчас не дома. Я в Москве.

— И сколько вы еще пробудете здесь?

— Я буду дома не раньше пяти.

— Вот и отлично, к пяти я подъеду! Я очень встревожен, Сандра. До встречи!

Она хотела позвонить Тимуру, но потом раздумала. Он рассердится, примчится... А это ни к чему.

...Сутырин приехал ровнехонько в семнадцать ноль-ноль.

— Сандра, в чем дело? Бога ради, не скрывайте от меня ничего!

— Видите ли, Роман Евгеньевич, мне стало известно, что ваша супруга велела своей тетушке устроить провокацию против меня. Подбросить мне какую-то дорогую цацку...

Сутырин побледнел.

— Очевидно, ваша супруга полагает, что я ее непременно украду, и тогда она обвинит меня в краже, устроит скандал на всю Россию. Ну, как она любит...

— Сандра, но это бред!

— Конечно, бред, только не мой, а вашей супруги. Она ведь такое уже проделала с горничной...

— Но горничная... это совсем другая история!

— Почему? Горничная — такой же человек... Хотя ваша супруга как-то высказывалась в том смысле, что прислуга — это, так сказать, черная кость... Ну а я чем отличаюсь от прислуги в ее глазах?

— Сандра, помилуйте! Да, а как вы узнали?

— Совершенно случайно. Я пошла в туалет и услыхала обрывок разговора по скайпу.

— И что вы слышали?

— Передаю практически дословно: «Ты постарайся подбросить этой художнице мое колечко подороже... И тогда поглядим, что она запоет». Как, по-вашему, я должна была реагировать?

Теперь Сутырин побагровел.

— Это конец... — медленно, словно бы с трудом проговорил он. — Сандра, дорогая моя, мне стыдно. Мне так стыдно, как никогда в жизни... Хорошо, я приму меры. И Веронику будут привозить к вам. Это не вопрос. Я распоряжусь. Сколько еще сеансов понадобится?

— Полагаю, не больше трех.

— Сандра, ради бога, дайте мне рюмку коньяку... Мне надо...

Сандра молча принесла бутылку коньяка и бокал. Он налил себе, выпил одним глотком.

— Можно еще?

— Конечно!

Он выпил еще. Ей было его даже жалко.

— Знаете, что угнетает больше всего? Банальность! Красивая девчонка из провинции, вроде бы тихая, скромная, а у меня распался предыдущий брак... Я сделал рывок из прошло-

го, пошел бизнес, старая семья не соответство-
вала, как говорится... Женился на юной красавице, соблюдены были все идиотские стандарты,
был влюблен, сильно, ничего не замечал, а когда
стал что-то замечать, думал, ерунда, пройдет...
Ничего не прошло, все только усугубилось. Подружки такого же разлива... Но мне некогда, а
тут и дочка родилась... Рутина, одним словом.
Я и дома-то почти не бываю, а время летит, дочка вот выросла... Надо ее спасать, а то вырастет
такой же... Когда главное счастье — засветить-
ся на телеэкране... Спасибо вам, Сандра! Огромное спасибо! Увы, мне такая женщина на
пути не встретилась...

— А если бы встретилась, вы бы на нее и не
посмотрели, — усмехнулась Сандра. — Стан-
дарт не тот.

— О нет! — вскинулся он. — Вот тут вы
ошибаетесь! Стоило мне провести час в вашей
мастерской, я сразу понял, что вот именно такая
женщина мне нужна, но я упустил время, и вся
моя жизнь и карьера... это тяжкий груз, который... Словом, я не достоин такой, как вы! Но,
с другой стороны, я счастлив, что встретил вас.
У меня открылись глаза на многое... Еще до се-
годняшнего разговора...

— Тяжела ты, шапка Мономаха.

— Тяжела, да... Но так или иначе, спасибо вам! Я, пожалуй, поеду, сердце что-то побаливает...

— Так может, «скорую» вызвать? — встревожилась Сандра.

— Ни в коем случае! У меня в машине есть лекарства. Ничего страшного. Бывает. А Веронику к вам завтра же привезут. Еще раз простите. И спасибо вам за все!

С этими словами он ушел. Кажется, он поверил, что я сама слышала разговор тетки с племянницей. Да ему и в голову не придет, что у меня какие-то отношения с прислугой завязались. Кстати, Нина сегодня выходная, надо ее предупредить...

— Алло, Нина?

— Да, Александрина Юрьевна? — голос девушки звучал испуганно.

— Можете сейчас говорить?

— Да, могу!

— Нина, я поговорила с Романом Евгеньевичем.

— Ой!

— Не бойтесь, я сказала ему, что сама слышала разговор тетки с вашей хозяйкой. Вы обо всем этом знать ничего не знаете.

— Поняла, спасибо вам.

— Имейте в виду, мое предложение остается в силе. И вы через какое-то время спокойно можете заявить об увольнении по семейным обстоятельствам.

— Ох, не знаю...

— Ну, это уж ваше дело. Удачи вам, Нина!

Сандра ужасно устала. День выдался трудный, она как будто с утра до ночи вкалывала на тяжелых работах. И только уже поужинав в одиночестве перед телевизором, вдруг подумала: а ведь у меня есть Тимур, мой Черныш... Как странно, всю жизнь мне нравились только светлоглазые мужчины... А вот поди ж ты, втюрилась в черноглазого брюнета... И тут он позвонил:

— Ну, как дела?

— А никак!

— То есть?

Она рассказала ему о разговоре с Ниной и с Сутыриным.

— Да, это ж надо так запугать девчонку... Но она просто дуреха.

— Что ж поделать... А как там Венька с твоим Бобиком?

— С Бобиком? — фыркнул Тимур. — Приручает! Бобик умный песик. Но я уже соскучился! Можно я приеду?

— Нельзя! Завтра с утра привезут Веронику.

— Хорошо, понял. Тогда я целую тебя, рыжая ведьма!

— И я тебя, мой Черныш!

— Я услышал только притяжательное местоимение.

— Не забыл еще русскую грамматику, янки?

— Я не янки, я сын армянки!

— Это что, опять любовный бред?

— Ну конечно! Спокойной ночи, любовь моя!

Черт возьми, а это приятно... подумала Сандра, нести и слушать любовный бред... В другой раз надо будет назвать его не янки, а гринго, интересно, что он ответит? Что я дикая собака Динго?

— Ой, тетя Сандра, папа сказал, что я теперь буду ездить к вам! Мне так интересно! А Алексей дома?

— Нет, — улыбнулась Сандра. — Алексей тут не живет, он живет в Москве.

— А Тимур?

— Тимур? — вздрогнула Сандра.

— Ну, ваш попугай?

— Ах, ну да, попугай дома и ждет тебя! Пошли к нему.

— А это что, такая лестница круглая? Как интересно! А у вас нет зимнего сада? А как же мы будем работать?

— Зимний сад не проблема! А ты садись вот в это кресло! Хотя сперва я познакомлю тебя с Тимуром!

— Какой он красивый, ваш Тимур!

— Да, мой Тимур очень красивый, — улыбнулась Сандра. Она-то имела в виду совсем другого Тимура.

А попугай сегодня был не в настроении и не желал вступать в беседы. Сидел нахохлившись. Сандра отщипнула виноградину от кисти, лежавшей в вазе, и на ладони подала попугаю. Тот снисходительно взял у нее ягоду. И отвернулся.

— Он не заболел?

— Нет, просто, видимо, за что-то сердится. Ничего, потом разберемся. Ну, Вероника, садись.

— Тетя Сандра, знаете, я так рада, что меня к вам привезли!

— Я тоже рада!

— У вас интересно... А вы мне потом дом покажете?

— Обязательно!

Сергей Сергеевич улетел на два дня в Гамбург, на юбилей своего коллеги и старого друга профессора Ресслера. Тимур и Роберт завтракали вдвоем. Сегодня Роберту никуда не нужно было спешить. Вениамин улаживал всякие формальности.

— Тим, скажи, твоя снежная красавица... сдала свои позиции?

— С чего ты взял?

— По глазам видно. В них такой... черный огонь... Ты познакомишь меня с ней?

— Зачем это? — насторожился Тимур.

— Ну, мне же интересно! Я таких дам, которые прыгают с крыши в снег, еще не встречал! И потом, я знаю тебя уже много лет, но никогда таким не видел. Твои глаза если загорались, то, скорее, я бы сказал, похотью, а не любовью...

— А ведь ты прав, Бобби, я, кажется, и впрямь ее люблю. Я таких тоже не встречал... Она удивительная... во всем. Знаешь, я спросил, любит ли она меня...

— И что?

— Она сказала, что влюблена в меня как кошка. А любовь — это другое...

— Ух ты... Другая стала бы клясться в вечной любви. Они это любят... клятвы в вечной любви. Мэгги тоже мне клялась в вечной любви, и что? При первом же дуновении неблагоприятного ветра упорхнула. И это было больно... Очень больно. Так что твоя снежная красавица права. Ты сегодня поедешь к ней?

— Пока не знаю. А у тебя какие планы?

— Скажи, а попасть в Большой театр сложно?

— Думаю, не просто. А что бы ты хотел, оперу или балет? Наверное, балет?

— Да. Быть в Москве и не увидеть балет Большого театра...

— Ладно, придумаем что-нибудь. А ты Веньке не говорил?

— Нет. Но, как я понимаю, если это и будет, то не сегодня?

— Конечно, тем более, что в понедельник в Большом, кажется, вообще выходной день. Вот что, а как насчет музеев? Хочешь в Третьяковскую галерею или в Пушкинский?

— Что это — Пушкинский?

— Музей изобразительных искусств.

— Да, хочу, но не сегодня. Сегодня, вроде бы, прекрасная погода, я лучше поброжу по Москве...

— Отличная мысль, я с тобой, если не возражаешь. Покажу тебе места моего детства. Я что-то полюбил шляться по Москве. Это кардинально другой город, чем во времена моей юности. О, мы поедем с тобой есть блины, Масленица началась, а без папы Авдотья Семеновна блины печь не станет.

— О, блины! Ты рассказывал...

— Тогда поехали!

— А что это за машина? — поинтересовался Роберт.

— Взял в аренду на несколько дней.

Когда они уже выехали на шоссе, Роберт вдруг проговорил:

— Тимур, знаешь, у меня даже нет слов, чтобы выразить тебе мою благодарность...

— Брось, Бобби, это ерунда!

— О нет, совсем не ерунда, если твоя жизнь вдруг повисает на тонкой-тонкой ниточке буквально над пропастью, а тут приходит друг и за шиворот отводит от края пропасти, и разворачивает совсем в другую сторону, да еще дает коленом под зад... И ты вдруг понимаешь, что можно начать сначала, еще не очень поздно... И еще... ты вдруг видишь мир вовсе не таким, каким видел его практически всю жизнь. И многое можешь переосмыслить. О! Это так важно!

— Бобби, я выслушал твою торжественную тираду, она даже польстила мне, но я прошу тебя, не надо больше подобных речей! Я этого не люблю!

— Ладно, не буду больше, — грустно улыбнулся Роберт.

У Тимура зазвонил телефон. Сандра!

— Да!

— Тимур, ты знаешь... Случилось что-то ужасное!

— Господи, что?

— От меня увезли Веронику, а через полчаса позвонила Нина... Сутырин... умер!

— Господи, что стряслось?

— Говорят, инфаркт... Это я виновата!

— Не выдумывай! Причем здесь ты?

— Этот вчерашний разговор... Нельзя было так...

— Ну вот что! Кончай рефлексии! Я сейчас приеду к тебе, вернее, мы с Бобом.

— Ох!

— Ничего не ох! Тебе необходимо собраться, взять себя в руки. И запомни — тут ни на йоту нет твоей вины! Ты умеешь печь блины?

— Что? Какие блины? На поминки, что ли?

— Тьфу ты! Не на поминки, а на Масленицу! Сейчас Масленица, я обещал Роберту... Так умеешь?

— Ну, умею, но нужно же время, это же не блинчики... — растерянно бормотала Сандра.

— Так и мы только после завтрака. А ты сейчас поставишь тесто и будешь нас ждать. Скажи, может, надо что-то купить к блинам? Икру, например?

— Только не вздумай покупать черную, это бешеные деньги, а красной купи, лучше форелевой или кетовой, а еще сметаны... Не меньше двадцати процентов жирности.

— Понял! Давай, давай, рыжая, займись блинами! Да, а водка есть?

— Есть.

— Засунь ее в морозилку, да, и пока тесто подходить будет, приготовь комнату для Роберта, после блинов с водкой за руль нельзя!

— Еще чего! Такси вызовешь!

— Это не гуманно! И потом, в такой ситуации тебе будет лучше со мной... Все!

— Что случилось? — спросил Роберт, не понявший ничего, кроме нового слова «блины».

— Экскурсия по Москве отменяется, мы едем к Сандре.

И Тимур объяснил другу, в чем дело.

— Знаешь, Тим, из тебя вышел бы отличный кризис-менеджер. Ты умеешь переключить человека в трудный момент его жизни на что-то совсем иное... Ты велел своей женщине встать к плите... И сейчас это, вероятно, самое правильное.

— Да, наверное, если человек мне небезразличен...

Сандра и в самом деле пошла на кухню и поставила тесто на блины. Достала из холодильника упаковку слабосоленой семги, нарезала ее тонкими ломтиками, подумала, достала еще селедку. Сама она больше всего любила блины именно с селедкой и сметаной. По случаю визита голливудского гостя стол решила накрыть в столовой. Потом ей пришло в голову, что некоторые любят еще и блины с вареньем. Достала банку клубничного варенья, переложила в вазочку. За этими хлопотами она сумела отогнать от себя тягостные мысли даже не столько о Сутырине, сколько о Веронике. Что теперь будет с девочкой при такой-то мамаше? Даже подумать жутко. Она ее изуродует... А водитель, который привозил вчера Сутырина сюда, наверняка скажет, где он вчера был, и такое еще может начаться... А впрочем, что я-то могу поделать? Просто не говорить, зачем Сутырин приезжал ко мне. Скажу, что... А, ладно, там видно будет. Тимур прав, моей непосредственной вины в этой истории нет. Не могла же я знать, что у него слабое сердце... Ох, а у меня же есть электроблинница. Ее подарил на новоселье Марик. Я еще подумала, что за дурацкий подарок... А может, вовсе и не дурацкий? Надо попробовать. Она полезла на антресоли, достала здоровенную коробку с блинницей и решила, пока подходит тесто, разобраться с инструкцией. Все оказалось достаточно просто. Она протерла блинницу влажной тряпочкой, нашла удобное место, куда ее пристроить. Как хорошо, что у меня такая большая просторная кухня... И тут вдруг сообразила, что надо и себя привести в порядок, не столько даже для голливудского актера, хотя он ей очень нравился, сколько для Черныша... Сердце вдруг наполнилось нежностью. Она надела недавно купленные зеленые джинсы и зеленый же легкий пуловер. Эффектно, но при этом вполне пригодно для приготовления блинов. Вскоре к дому подъехала машина. Сандра выбежала на крыльцо. В воздухе уже пахло весной. А ведь Черныш красивее, чем этот артист! Невольно подумала она.

— Иди в дом! Простудишься! — крикнул Тимур.

Они выгружали из машины какие-то пакеты. И еще цветы.

Сандра и в самом деле вернулась в дом.

— Хороша! Ничего не скажешь! — заметил Роберт.

— Отсюда разглядел?

— У сексиста глаз наметанный! — рассмеялся Роберт.

— Ох, я и забыл!

Они вошли в дом.

— Добро пожаловать, гости дорогие! — сказала она по-русски. И перешла на английский: — Очень рада видеть вас в своем доме. — И подала руку Роберту. Он крепко пожал ее. — У вас там что, в Америке, руку дамам не целуют? — по-русски спросила она.

— Практически нет, феминистки против, — усмехнулся Тимур.

— Козлы!

Тимур демонстративно поцеловал руку Сандре.

— Вот, хозяйка, принимай наши дары... Тут цветы, мороженое, как ты любишь, икра, как заказывала, мы купили и кетовую, и форелевую. Тут сметана, а еще мы купили балык... Ну, словом, сама разберешься. А можно, пока ты тут возишься, я покажу Роберту твою мастерскую? Познакомлю с моим тезкой?

— Да, ради бога!

— Ну, Бобби, не станем мешать хозяйке, пошли наверх.

— О, какая лестница! Никогда таких не видел! — восхищался Роберт. — Тимур, у тебя отличный вкус, брат-сексист.

— Нет, в России это называется просто «бабник», хотя я в сущности вовсе не бабник.

Они вошли в мастерскую.

— Это все ее картины?

— Да! Талантливо, правда?

— О! Какие портреты... Я бы сказал, беспощадные. Вот эта женщина... У нее совершенно пустые глаза, хотя она красива. А у этого юноши за душой какое-то скрытое страдание... А тут пейзажи... Знаешь, мне ее пейзажи даже больше нравятся... В них есть любовь, а портреты похожи на рентгеновские снимки души.

— Знаешь, один русский поэт написал когда-то об американском аэропорте: «светят дюралевые витражи, словно рентгеновский снимок души».

И Тимур попытался перевести на английский строчку Вознесенского. Разумеется, прозой.

— Занятно. Скажи, ее портреты и в самом деле имеют успех у богатых людей?

— Да.

— Странно. Я не хотел бы, чтобы она писала мой портрет.

— Почему это?

— Не хочу выставлять напоказ всю подноготную. Но она несомненно очень, очень талантлива. А тебе, Тим, она подходит. И внешне тоже, красивое сочетание красок.

— Бобби, глянь, это тоже Тимур. Он сам сказал, как его зовут.

— Знаешь, я не люблю попугаев.

— Господи, почему?

— Я снимался в Австралии, мне тогда было лет двадцать, и однажды стая попугаев во время съемки обосрала меня с головы до ног! Такая пакость! Но я обязан был доиграть сцену... А дурак-режиссер пришел в восторг и вставил этот эпизод в картину. Мне тогда кто-то сказал, что это вроде бы к удаче. И вправду, этой удачи хватило почти на двадцать лет. Но, видимо, что с дерьма началось, то дерьмом и закончится.

— Ничего еще не закончилось, Бобби! Кто знает, может, все еще только начинается!

Тимур подозвал Роберта к окну.

— Вон, видишь, сарай? Она стояла на крыше в купальнике, солнце играло в рыжих волосах, и вдруг она с воплем прыгнула в сугроб...

— И ты пропал!

— Пропал, друг, пропал бесповоротно.

Они спустились вниз.

— Сейчас приедет Лешка, — сообщила Сандра. — Как услыхал про Роберта, сразу заявил: я еду! Ну и блины его тоже вдохновили.

Тимур обрадовался. Вот и славно, пусть Алексей знает, что мы с его мамой... пара! К тому же он хорошо говорит по-английски, пусть развлекает Роберта.

— ...Дядя Марик!

— Лешка? Привет! Как дела?

— Дядя Марик, знаете, мама вчера пекла блины в вашей блиннице!

— Да? И как?

— Просто здорово! Быстро и никакого чада. Мама очень довольна.

— Лешка, ты мне звонишь только за этим? Колись, что случилось? У тебя какие-то проблемы?

— Да я сам не знаю...

— Ну вот что, парень, приезжай ко мне. Все расскажешь. Чем смогу, помогу!

Из трех «батьков» Марк Мильман был Алексею ближе всех. У него не было своих детей, и он относился к Лешке, как к сыну. К тому же у них было много общих интересов и пристрастий. Марк, например, заразил Лешку своей любовью к джазу...

— Ну, что стряслось, парень? — встретил Марк Исаевич Алексея.

— Ох, дядя Марик, вроде ничего...

— Да ладно, я же вижу, ты в смятении, как писали в романах. Ну, ты есть хочешь?

— Нет. И выпить тоже не хочу, я за рулем. А кофе можно?

— Запросто. Сейчас сварю. Садись и рассказывай!

— Дядя Марик, помните, у мамы на новоселье был дружок дяди Вени, Тимур?

— Тимур? Тимур... Ах да, такой жгучий красавец, который рано уехал, да?

— Да! А я еще раньше познакомился с ним в самолете...

— И что? У него закрутился роман с твоей мамой?

— Откуда вы знаете? От дяди Вени?

— Да нет, конечно. Просто догадался.

— Вы уже тогда что-то заметили?

— Ничего я тогда не заметил. Но ты вдруг примчался ко мне весь перебудораженный, и сразу спросил про него. Обычная логика. Я прав?

— Ну да... Там все видно невооруженным глазом. И этот Тимур еще приволок к маме своего друга, голливудского актера...

— Шермана, что ли? Я слышал от Веньки, что он в Москве и вроде будет у него сниматься.

— Да. Он здорово обаятельный, сказал, что я хорошо говорю по-английски, мы с ним о многом болтали, и вдруг я заметил, как мама и этот Тимур смотрят друг на дружку...

— Ну и что? Они, наверное, очень красивая пара... А ты что, ревнуешь мать?

— Я не ревную, нет, просто... Он же чужой совсем... А вдруг мама с ним уедет?

— Мама? Уедет? Куда? В Америку? Да никогда в жизни! А вообще-то, парень, нехорошо... Может, Сандра, наконец, выйдет замуж и будет счастлива. Ты вырос, сам можешь в любой момент жениться... Помнится, ты мне как-то сказал, что вы с матерью условились не лезть в личную жизнь друг друга. Разве не так?

— Так я же не лезу! — закричал Лешка. — Я вот к вам приехал...

— Пожаловаться на мамку? — улыбнулся Марк Исаевич и погладил Лешку по голове.

— Дядя Марик, как вы можете! Я просто хотел... Может, вы поговорите с мамой?

— На какую тему, дружок?

— Ну... какие у нее планы...

— Погоди, а Артему что, дали отставку?

— Откуда я знаю? Но думаю, да.

— Ну и хорошо. Он совершенно не подходил Сандре.

— Почему? Он хороший мужик.

— Хороший, не спорю. Но как бы тебе это сказать... Он художественно с ней не монтировался.

— Ни фига себе загнули. А этот черномазый монтируется?

— О, а ты его что, уже возненавидел, этого Тимура?

— Да нет... С какой стати...

— Врешь, дружок! Это элементарная сыновняя ревность. Пойми, чудак, это попросту негуманно. Ты же любишь мать...

— В том-то и дело. Я за нее боюсь. Он какой-то мутный тип... Бывший игрок...

— Хорошо, чего ты от меня-то ждешь?

— Дядя Марик, пожалуйста, поговорите с мамой!

— О чем, чудак-человек?

— Ну... вы же мудрый... вы сможете...

— Что смогу? Отговорить ее? Я не стану этого делать. Она уже совсем взрослая девочка, твоя мама.

— Нет, отговаривать не надо... Ну я не знаю... может, вам она скажет что-то такое, что... успокоит меня... Мне за нее страшно!

— Ах ты господи, я думал, ты взрослый серьезный мужчина уже, а ты совсем еще сопляк, — рассердился вдруг Марк Исаевич, но тут же ему стало жалко напуганного и растерянного парнишку.

— Ладно, будь по-твоему, поговорю.

— Только маме не говорите, что я...

— Моряки, даже бывшие, своих не сдают! Я созвонюсь с Сандрой и приглашу куда-нибудь. А там уж что-то придумается.

— Спасибо! Спасибо вам огромное, дядя Марик! Вы настоящий друг!

— Господи, детский сад, малышовая группа!

Роберт был в полном восторге от визита к Сандре. Ему все безумно понравилось. И дом, и хозяйка, и ее сын, и, конечно же, блины! А Тимур был доволен тем, что ему удалось на какое-то время отвлечь Сандру от печальных мыслей.

В средствах массовой информации комментировали внезапную смерть Сутырина, но нигде ни словом не упоминался тот факт, что накануне смерти он приезжал к Сандре. Видимо, его водитель промолчал. И слава богу! От Нины тоже не было ни слуху ни духу.

— Тимур, как ты считаешь, мне надо пойти на похороны? — спросила Сандра.

— Зачем? Кто ты ему? Ты написала его портрет. И тебе совершенно незачем появляться в этом кругу. Да еще сталкиваться с его замечательной вдовой. Короче, не вздумай!

— Да, ты прав.

Сандре вдруг ужасно понравилось, что Тимур принимает за нее какие-то решения. Как ловко он тогда переключил меня на домашние хлопоты, мы так чудесно посидели, и Лешка приехал... И блины в блиннице удались на диво! Надо позвонить Марику. И тоже позвать его на блины.

— Алло! Марик, привет!

— Привет, Сандрочка!

— Марик, твоя блинница — чудо! В ней такие блины получаются! Вот, звоню поблагодарить и пригласить на блины!

— Спасибо, родная, но давай лучше встретимся где-нибудь во вкусном месте, поболтаем, а блины мне сейчас не очень показаны. У меня подозревают предрасположенность к диабету. Пойдем лучше куда-нибудь поедим мяса!

— Согласна!

— Может, прямо завтра? Ты сейчас не очень занята?

— Нет. У меня тут случилось кое-что... Я тебе расскажу!

— Плохое или хорошее?

— И плохое, и хорошее!

— Словом, надо пообщаться?

— Надо, Марик, надо!

Марк Исаевич ждал Сандру в кафе. Когда она вошла, он подумал: надо же, влюбилась! Ее глаза так сияли! Она помолодела лет на десять.

— О, красавица! Цветешь! Нешто это любовь?

— А что, так заметно? — смутилась Сандра.

— За версту видно! И кто он?

— Марик, погоди...

— Ты меня с ним познакомишь?

— А ты с ним знаком.

— Но это же не Артем, правда?

— Господи, нет, конечно. Это Тимур.

— Кто такой Тимур? Я что-то не припомню.

И зачем я дурака валяю, сам себе удивился Марк Исаевич. Хрень какая-то.

— Он был у меня на новоселье.

— Постой, это красавец такой знойный, да?

— Да.

— Вы красивая пара, ничего не скажешь... А он вообще кто? Я тогда как-то не въехал.

— Он... У него в Америке небольшой бизнес. Но он собирается его продать и перебраться в Москву.

— Из-за тебя?

— Нет. Из-за отца.

— Да ладно!

— Честное слово! Он и в Москву-то приехал впервые за восемнадцать лет, чтобы помириться с отцом.

— Но встретил тебя и погиб?

Сандра радостно вспыхнула.

— Кажется... И знаешь, Марик, он... он из тех мужиков, которые готовы принять решение... За меня...

— Принять решение за тебя? — крайне удивился Марк Исаевич. — И ты ему это позволяешь?

— Я ему за это бесконечно благодарна!

— Вот даже как! На тебя это не похоже. Но зато это похоже на любовь! Он, если я ничего не путаю, Венькин друг?

— Да, и, кстати, он вообще хороший, настоящий друг...

И Сандра поведала Марку Исаевичу историю про Роберта Шермана.

— О! Это его прекрасно характеризует! Умение дружить — одно из ценнейших качеств. По крайней мере, для меня. Знаешь, подруга, я рад за тебя. Ну, это все хорошие новости. А что плохое случилось с тобой?

— Ты слыхал про такого бизнесмена Сутырина?

— Нет, не доводилось. А с ним что?

— Он умер.

— А ты тут каким боком?

Сандра рассказала и об этом.

— Да, скверно. Девчонку жалко. Но, поверь, твоей вины тут нет.

— Я понимаю. Но все равно как-то муторно на душе.

— Прекрати! Что за ерунда. У мужика, значит, было слабое сердце. И уж если кто-то и виноват в его смерти, так это его замечательная женушка.

— Так-то оно так... Но все же...

— Брось! Ты просто боишься радоваться, боишься любви... Я прав?

— Да, наверное, прав, боюсь!

— Тогда расскажи мне о нем подробнее, об этом твоем Тимуре.

— А что рассказывать? Да, знаешь, он раньше был... Он играл...

— Играл? Он игрок? — встревожился Марк Исаевич.

— Да. Был. То есть... Он не игроман, не думай. Для него это был скорее спорт, проверка своих возможностей. Он гений игры, понимаешь? У него были фантастические способности в математике, но он не стал заниматься наукой, говорит, ему это было скучно. И в Америке он играл практически профессионально, но потом нашел в себе силы завязать... — горячо, сбивчиво говорила Сандра. — Он вдруг осознал, что нельзя долго искушать судьбу, что можно заиграться... И бросил! Понимаешь?

— Да. Понимаю. Я однажды сталкивался с чем-то подобным. Это впечатляло... А он вообще по жизни не авантюрист?

— Нет, не похоже. Он даже очень разумный. Куда разумнее меня. И если я в чем-то соглашалась с ним, ни разу об этом не пожалела. Вернее, когда следовала его советам.

— Выходит, тебя можно поздравить, подруга?

— Думаю, да.

— А как к нему относится Лешка?

— Не пойму! Сначала он был от него в полном восторге. А сейчас... не пойму. Мне кажется, он немного ревнует. Марик, может, ты поговоришь с ним?

— С кем? С Лешкой? Или с Тимуром?

— Что за ерунда! С Лешкой, конечно!

— И что я должен ему сказать? Для того, чтобы вести подобные разговоры с парнем, я должен хоть немного пообщаться с твоим красавцем.

— О да! Это правильно! Ты приезжай ко мне завтра. Я испеку блины в твоей блиннице... Хотя тебе же нельзя... ладно, я что-то другое приготовлю... Вкусное...

— Да ты все вкусно готовишь. Повезло твоему Тимуру. Ты думаешь выйти за него?

— Нет. Не хочу!

— Но почему?

— Знаешь, я от брака ничего хорошего не жду. Пусть лучше так... Я не готова пожертвовать своей свободой.

— А ты детей больше не хочешь?

— Детей? — ахнула Сандра. — Я в любой момент могу стать бабушкой!

— А он? Он детей не хочет? Или у него есть?

— Насколько мне известно, нет. И он о детях не заговаривал. Нет, и у меня на детей уже нет сил.

— А мне так грустно, что у меня нет детей...

— Ну так заведи! У тебя-то в чем проблема? Ты еще нестарый, интересный мужик, тебе-то в самый раз...

— Да где там! После смерти Танечки я и подумать не могу связаться с кем-то на постоянной основе. Но сейчас речь не обо мне. Короче, подруга, завтра я приеду. Жаль, Игоря услали в командировку на целый месяц.

— Куда?

— Не поверишь! В Свазиленд!

— Матерь божия! Что он там делает?

— Как говорится, в интересах фирмы, а точнее я не знаю. Короче, завтра я буду. Только давай сделаем вид, будто я случайно заехал, по дороге... Не надо мужику знать, что ему устраивают смотрины. Я позвоню примерно за полчасика, мол, скоро заеду...

— Марик, я тебя обожаю! Да, так лучше.

— А вкусное ты все же приготовь, как будто только для любимого... — засмеялся Марк Исаевич.

— Можешь не сомневаться, приготовлю!

— Знаешь, Тим, Вениамин ведет меня сегодня в Большой театр! На «Жизель».

— О! Рад за тебя! Тогда я поеду к Сандре!

— А завтра утром возвращается твой отец!

— Я помню, но его будет встречать машина из института и повезет прямо на лекции.

— А я познакомился с мамой Вениамина. Чудесная женщина!

— О да! Сама доброта и тактичность!

— И прекрасно говорит по-английски! Вообще поразительно, какую собачью муру пишут у нас о России... Уму непостижимо!

— Да уж!

Сандра встретила Тимура сияющей улыбкой.

— Я соскучился!

— И я!

— Ты что-то стряпаешь?

— Да.

— Ждешь кого-то?

— Только тебя!

— Я польщен! А что это будет?

— Дикая утка!

— Дикая утка? Кажется, я никогда не пробовал... Это вкусно?

— Не то слово!

— А чем она отличается от нормальной утки?

— Это совсем другое... У дикой утки нет жира, и вообще... да ну тебя, сам попробуешь, тогда поймешь!

— А где берут диких уток?

— На охоте!

— Ты еще и охотишься?

— О да! На американских торговцев машинками!

— Да! Одного ты уже сбила влет! Ой, я же забыл!

И он ринулся к двери.

— Кудой? — крикнула Сандра.

— Что? — он замер на пороге. — Что ты спросила?

— Кудой?

— Кудой? Это что такое?

— Ты что, «Ликвидацию» не видел?

— Ничего не понимаю! Какую еще ликвидацию? Сандра, не говори загадками!

— Господи, ты же несчастный человек! Ты что-то забыл в машине, да?

— Да, мороженое! И цветы!

— Ладно, беги! А вернешься, я сделаю тебя счастливым!

— Так ты уже... сделала!

— Нет, без «Ликвидации» счастье нормального человека не может быть полным! Дуй к машине!

Когда Тимур вернулся, Сандра поставила в воду привезенные им розовые лилии, а он сунул в морозильник огромную коробку с мороженым.

— Как вкусно пахнет! — потянул носом воздух Тимур. — И скоро эти дикие утки будут готовы?

— Не раньше чем часа через полтора.

— А, тогда ты обещала сделать меня счастливым...

Он схватил ее в объятия, стал целовать, начал расстегивать молнию на кофточке.

— Пусти! Не сейчас!

— Ты же обещала счастье!

— Будет тебе счастье! И оно называется «Ликвидация»!

Сандра включила телевизор, понажимала кнопочки на двух пультах.

— Ты можешь объяснить по-человечески...

— Могу! Я хочу показать тебе один фильм. Ну, вернее, сериал, совершенно потрясающий, гениальный, я бы даже сказала... Я его видела уже раз восемь и готова смотреть еще и еще! Прошу тебя, Тимур, посиди спокойно минут десять, и ты все поймешь!

Он видел, что она уже готова рассердиться, и счел за благо послушаться.

А вскоре происходящее на экране полностью его захватило.

— О, этого артиста я знаю! Он в Голливуде тоже снимался... Машков, кажется... Какие у него глаза здесь... с ума сойти...

Фильм не на шутку его увлек, и когда в конце второй серии убили Фиму, которого неподражаемо сыграл Маковецкий, Тимур воскликнул:

— Боже, как жалко! Такой артист! Смотрел бы и смотрел на него!

Сандра радовалась как девчонка. Он понял, он почувствовал!!! Он... наш человек!

Позвонил Марик.

— Привет, ты там скажи все, что считаешь нужным, а я через полчаса заеду.

— Заезжай! Буду рада!

— Кто это? — нахмурился Тимур. Ему хотелось смотреть дальше.

Но Сандра выключила видео.

— Сейчас заедет Марик.

— Какой Марик? Зачем?

— Он тут недалеко был, решил меня навестить. Это в порядке вещей. Он один из «батькóв». Да ты его видел на новоселье...

— Не помню. Я вообще пришел к выводу, что в тот день видел только тебя. Он что-то знает о нас?

— Нет. Теперь вот узнает. А что, тебя это смущает?

— Нисколько. Наоборот. Чем больше народу знает о нас, тем лучше! А фильм и вправду классный! И какие актеры... Практически все... Да, ты была права, это надо смотреть! Вот интересно, а папа видел? Обязательно спрошу.

Тут как раз подъехал Марк Исаевич.

— Сандра, выглядишь чудесно! О, здравствуйте, сударь! Мы ведь знакомы... Тимур, если не ошибаюсь?

— Совершенно верно! — улыбнулся Тимур.

Они обменялись рукопожатием.

— Сандра, а чем это так вкусно пахнет? Похоже на дичь!

— У тебя очень тонкий нюх, Марик. Это и есть дичь! Иди мой руки — и за стол!

Дикие утки и впрямь источали волшебный аромат!

— Марик, тебе картошки положить? У тебя же диабет?

— Еще не диабет, а только предрасположенность к нему. Так что немножко можно, и брусники тоже положи. Знаете, Тимур, лучше нашей Сандры никто дичь не готовит.

— Похоже на то! В первый раз я тут пробовал оленину, а теперь вот диких уток... И вправду волшебно вкусно...

— Вы ведь друг нашего Веньки, да?

— Да, еще со школы.

— Венька говорил, что занимается сейчас каким-то американцем, обвиненным в сексизме. Скажите, это что там у вас, всерьез?

— Не только всерьез, но, боюсь, еще и надолго.

— А как прикажете размножаться? Почкованием?

— Именно! Высоцкий это еще когда предвидел!

— О, вы знаете Высоцкого?

— Не просто знаю, а безмерно люблю. Не ручаюсь за точность, но кажется там было так: «Не хочем с мужчинами знаться, мы будем теперь почковаться!»

— Сандра, кажется, это наш человек? — обрадовался Марк Исаевич, тоже помешанный на Высоцком.

— А я вот тут приобщала Тимура к «Ликвидации».

— Вы не видели раньше?

— Нет. Даже не слышал. Посмотрел две с половиной серии и пришел в восторг.

— Я помешал просмотру?

— Да нет, диск никуда не убежит, — улыбнулся Тимур.

Потом Сандре позвонила знакомая, она вышла в другую комнату, а мужчины завели разговор о политике. И вдруг посреди разговора Марк Исаевич спросил:

— Ты ее любишь?

— Да. Люблю. Как никогда и никого, — ни на секунду не задумавшись ответил Тимур. Ему понравился Марик.

— Только помни, с ней надо бережно. Это она только кажется такой лихой бабой, а на самом деле она ранимое и нежное существо. И очень нуждается в мужском надежном плече. Твое плечо можно считать надежным?

Кого-то другого Тимур, возможно, послал бы куда подальше с подобными разговорами, но Марика не мог.

— Я полагаю, что на меня можно положиться...

— Замуж она, конечно же, не желает?

— Не желает! А ты что, Марк, тоже ее любишь?

— Люблю. Но не так как ты. Не как женщину, а как вдову лучшего друга... Как талантливую и чудесную бабу... Так что ревновать к нам, батькáм, смысла нет.

Сандра давно закончила свой телефонный разговор и элементарно подслушивала за дверью. Ей было жутко интересно, о чем они говорят. А мой Черныш понравился Марику, да и Марик ему тоже. Вот и славно!

Вскоре после обеда Марк Исаевич собрался уезжать.

— Как удачно я заскочил, Сандра! Не каждый день дичью балуешься! Чертовски вкусно! Тимур, рад был поближе познакомиться.

— Я тоже!

Сандра вышла проводить его до машины. Марк Исаевич молча показал ей большой палец. Она вспыхнула радостью.

— Рад за тебя, подруга. По-моему, он сможет держать тебя в руках!

— Еще чего!

— Да ладно хорохориться, небось только и мечтаешь, чтобы тобой управляли. А то... без руля и без ветрил! Ладно, я поехал!

Она чмокнула его в щеку.

— Спасибо, Марик! Ты настоящий друг.

— А ты сомневалась?

Она вернулась в дом.

— Классный мужик этот Марик! Что называется, на чистом сливочном масле!

— Ты ему тоже понравился. Ну что, будем смотреть дальше?

— Да!

Они сидели на диване, Сандра прильнула к нему, он обнимал ее за плечи, а она искоса наблюдала за его реакцией. Реакция была правильной. Господи, какое это счастье, вот так, вдвоем, смотреть то, что доставляет истинное удовольствие. И Тимур чувствовал себя счастливым. Ему безумно нравился фильм, но после пятой серии он вдруг сказал:

— Знаешь, надо передохнуть.

— Согласна! Нравится?

— Не то слово! Скажи, а ты была когда-нибудь в Одессе?

— В далеком детстве. А ты?

— Нет, не довелось. Скажи, а там и вправду так говорят?

— Насколько я помню, да.

— «Дава, я не хочу ходить с вами по одной Одессе!» Это же прелесть что такое! А этот Эмик, эта тетя Песя! А эта пара — Чекан и Ида — просто опера! Как зовут эту актрису?

— Ксения Раппопорт.

— Фантастически хороша... Да и вообще!

— Знаешь, Черныш, вот сейчас мне кажется, что у нас с тобой может получиться...

— А «Ликвидация» — это тест на пригодность?

— Можно и так считать! — засмеялась Сандра. — А как ты думаешь, твой Роберт смог бы оценить этот фильм?

— Чего не знаю, того не знаю! Тут ведь прелесть в нюансах, в этой одесской речи... А впрочем... Скажи, а Лешка... Он знает о нас?

— Догадывается.

— И что говорит?

— Помалкивает пока. А ты... говорил о нас отцу?

— А ему и говорить не надо было. Он все прочел на моем лице, когда я от тебя вернулся. Мне показалось, он здорово обрадовался, что у меня появился здесь такой мощный магнит... Когда ты рядом, я чувствую себя... металлической соринкой под воздействием магнитной штуковины, такой красно-синей, какую показывают в школе на первых уроках физики...

— Нехороший образ!

— Почему?

— Мне не нравится притягивать к себе какие-то соринки!

— Права! А что тебе нравится притягивать?

— Красивого, сильного, умного мужика!

— Это ты обо мне?

— Не люблю дурацкого кокетства!

У Сандры зазвонил телефон.

— Алло!

— Алло, Александрина Юрьевна, это Нина! — рыдала в трубку девушка.

— Нина, что еще случилось? — испугалась Сандра.

Тимур вопросительно поднял брови.

— Александрина Юрьевна, миленькая, вы еще никого не взяли? Я вам еще нужна?

— Да, конечно, а что случилось?

— Ой, а можно мне сейчас к вам приехать? А то меня на улицу выгнали... Взашей! И паспорт не отдали! Не знаю, что и делать!

— Значит так, Нина, я сама за вами приеду. Сможете где-то подождать меня, я буду примерно через час! Куда мне приехать?

— Знаете, где тут супермаркет? Я вас там подожду, а то холодно...

— Отлично! Я выезжаю! Как подъеду, позвоню!

— Что стряслось? — спросил Тимур.

— Нина! Ее выгнали из дому, не отдали паспорт. Господи, что за гнусная баба эта вдовица! Тварь последняя.

— Я поеду с тобой! Хотя мы оба пили за обедом. Давай лучше вызовем такси.

— Ты прав! Вызывай!

— Ты говоришь, ей не отдали паспорт?

— Ну да!

— Надо немедленно заявить в полицию! Отнимать документы незаконно!

— Нет, сперва надо найти Нину и выяснить все обстоятельства, а там уж... Я завтра утром позвоню одному адвокату, он обожает ходить на всякие ток-шоу, а там, возможно, будет для него пожива... Эта дамочка тоже любит все обстря-пывать перед камерами...

— Нет, этого я не допущу! Неизбежно всплывет твое имя... Ни в коем случае!

Такси приехало быстро. И через тридцать пять минут они уже входили в супермаркет. Нина ждала их у входа, вся зареванная.

— Ой, Александрина Юрьевна, миленькая, спасибо вам. А то я не знала, что и делать...

— Нина, вы не голодны, может, зайдем тут в кафе?

— Ой, да что вы! Тут такие заоблачные цены на все... Хорошо, охранник знакомый, пустил меня, а то бы выгнали...

— Что за ерунда! А если вы пришли что-то купить? — возмутилась Сандра.

— Такие, как я, сюда за покупками не хо-дят, — пролепетала Нина.

— Ладно, девушки, поехали скорее до-мой! — сказал Тимур. — И еще... В такси ничего рассказывать не нужно. Вот домой приедем, тогда уж...

— Да, Тимур, ты прав.

Тимур сел с водителем, а Сандра с Ниной сзади. Сандра гладила руку девушки, и та малопомалу успокоилась.

— Александрина Юрьевна, — прошептала она, — а это кто? Тот ваш...? Красивый какой! И хороший...

Сандра ничего не ответила. Ей очень понравилось, как повел себя Тимур.

— Вот, Нина, это ваша комната, располагайтесь и приходите на кухню, будем пить чай!

Минут через двадцать Нина робко заглянула на кухню.

— Садитесь, Нина! — пригласил ее Тимур.

— С вами? — испугалась девушка.

— Разумеется, с нами. Вот, ешьте, пейте и рассказывайте, что случилось, — заявила Сандра. — И запомните, в моем доме нет людей второго сорта.

Нина опять зарыдала.

— Так, хватит слезы лить, — довольно жестко проговорил Тимур.

— Да, да, простите! — забормотала Нина, но рыдать перестала.

— Ну же, Нина, что стряслось? — повторила свой вопрос Сандра.

— Ну, вы же знаете, на днях схоронили Романа Евгеньевича. Вероничку через день после смерти отца отправили к брату хозяйки, в Испанию. У хозяина там огромная вилла, брат там всем заправляет и его жена. Вот девочку туда и сплавили, чтобы под ногами не мешалась... Уж как она убивалась... Любила папку-то... А ей даже проститься с ним не дали. Не по-людски это... А сегодня утром хозяйка меня позвала и говорит: «Ты мне тут в доме не нужна, убирайся вон, да перед тем как уйти, все вещи мне покажешь, а то я вас знаю, в доме горе, так вы ищете, чем поживиться... Даю полчаса на сборы, и если что уперла, лучше сама верни!» А я никогда чужой спички не возьму, меня так воспитали... бабка была из староверов... Ну, короче, я собрала вещи. Она приходит и начинает в чемодане рыться... И я чувствую, сейчас что-то подкинет... И точно! «А это что такое? Брошку мою стянула!» А я подготовилась, знала, что так будет, и говорю: «Ничего я не стянула, знаю, это забава у вас такая — подставлять людей, —

набралась я наглости. — Постыдилась бы, — говорю, — только мужа схоронили и опять за свое... И не стыдно вам?» А она как завопит: «Пошла вон, паскуда! Чтоб духу твоего тут не было сию же минуту!» И с кулаками на меня лезет... А я говорю, паспорт, мол, отдайте, уйду, не задержусь. А она: «Хрен тебе! Не получишь паспорт, гадина! Я тебя на весь свет опозорю!» И вытолкала меня за дверь. За шиворот волокла... А на улице уже темно, холодно. И чемодан мой она не отдала. Ну чемодан-то ладно, он ей без надобности, хотя со злости она и вещички попортить может, а вот паспорт... Куда мне без него...

— Не волнуйтесь, Ниночка, добудем мы завтра ваш паспорт, и чемодан... А она вам заплатила за работу?

— Нет, конечно, мне зарплату Роман Евгеньевич выдавал. Так он вот умер...

— Ничего, она эту зарплату в зубах вам принесет, — весело сверкая черными глазами пообещал Тимур.

— Ой, вы ее не знаете! — вздохнула Нина.

— Ее не знаю, но таких, как она, навидался. Девочки, мне нужно позвонить! — И с этими словами он вышел из кухни.

— Александрина Юрьевна, а он... Тимур Сергеевич... ему можно верить? — едва слышно прошептала Нина.

— Думаю, да. Но понятия не имею, что он придумал. Ладно, Нина, я сейчас вам подыщу какую-нибудь одежку, бельишко, и ложитесь-ка вы спать. На вас лица нет!

— Александрина Юрьевна... Не знаю, что и сказать...

— Ничего говорить не нужно. Идите отдыхать. Утро вечера мудренее.

— Любимая, мне придется уехать прямо сейчас! — заявил Тимур.

— А что случилось?

— Ну, что случилось, ты уже знаешь от Нины, а вот чтобы завершить эту историю, я должен сейчас уехать в Москву.

— Что ты затеял?

— Я никогда и никого не посвящаю в свои затеи. Предпочитаю рассказать о них уже постфактум, а то сглазить можно. Прости. Ну, я такой, что поделаешь!

— Ладно, поживем — увидим, — пришлось смириться Сандре, хотя ей это не нравилось.

Тимур уехал. Опять на такси.

Он явно что-то придумал... А если его придумка никуда не годится? А если он вляпается в какие-то неприятности? Но, с другой стороны, он ведь умеет просчитывать наперед все ходы не только свои, но и противника... Но все же ей было тревожно. И безумно жалко Веронику. Так рано потерять любящего отца, при такой вот матери... Ужасно! Сандра подошла к двери Нининой комнаты. Заглянула. Девушка сладко спала. Какая она хорошенькая... Только вид у нее затравленный. Ну ничего, поживет здесь, очухается...

Утром в доме Сутыриных раздался телефонный звонок. Приятный мужской голос спросил:

— Простите, могу я поговорить с госпожой Сутыриной?

— А кто ее спрашивает?

— Это с телевидения.

— Одну минуточку!

Вскоре в трубке раздался женский голос, звучавший как-то замогильно.

— Я слушаю вас!

— Госпожа Сутырина?

— Да. Что вы хотите?

— Видите ли, госпожа Сутырина, мы делаем цикл передач о самых невероятных встречах с потерянными родственниками...

— Ничего не понимаю. Вы что, спиритическими сеансами занимаетесь?

— Боже сохрани! Мы занимаемся вполне реальными историями! Дело в том, что...

— Перестаньте нести чушь! Я никаких родственников не теряла. У меня просто недавно умер муж. И оставьте меня в покое!

— Еще раз простите, но дело очень деликатное... Вы знаете такого американского актера Роберта Шермана?

— Ну, знаю. Его вроде бы обвинили в этом, как его, харассменте... — голос вдовы весьма оживился. — Но причем тут я? Ко мне он не приставал.

— Госпожа Сутырина... Извините, Кристина Платоновна...

— Просто Кристина, без отчества! — резко оборвала мужчину вдова.

— Хорошо. Так вот, Кристина, нам стало известно из достоверных источников, что у вас проживает и работает некая Нина Анатольевна Домашова. Мы не ошибаемся?

— Ну, допустим. А при чем тут этот Шерман? Он ее, что ли, домогался?

— Дело в том, что господин Шерман давно ищет свою двоюродную сестру...

— И вы хотите сказать, что эта... Нина его двоюродная сестра?

— Да, мы это предполагаем. Нам необходимо с ней встретиться, уточнить кое-какие детали и, разумеется, сделать тест на ДНК. Хотя у нас лично нет никаких сомнений в родстве. Однако формат нашей программы требует... Ну, разумеется, и юристы господина Шермана настаивают на проведении этого теста. Так мы можем поговорить с Ниной Домашевой? Мы так долго ее искали...

— Погодите, а этот Шерман... он что, приехал в Москву? Из-за Нины?

— Совершенно верно!

— Видите ли, господа, у Нины отгулы... Сегодня ее не будет.

— Но, быть может, вы дадите нам ее телефон?

— Понимаете, девушка встречается со своим молодым человеком и на это время отключает телефон. Поэтому я предлагаю вам, господа, приехать ко мне ну, скажем, послезавтра и встретиться с Ниной здесь. Пусть господин Шерман увидит, в каких прекрасных условиях живет его родственница. Она очень хорошая девушка... И я так благодарна ей за все, что она сделала для меня в самые скорбные дни...

— Кристина, если я правильно понял, вы бы хотели, чтобы мы сняли на камеру встречу родственников в вашем доме?

— Да! Это было бы правильно... — твердо ответила госпожа Сутырина.

— Ну, в принципе, идея неплохая... Однако я сам таких решений не принимаю, необходимо обговорить это с руководством.

— Конечно, конечно! Но я надеюсь, ваше руководство одобрит эту идею.

— Ну, за руководство я решать не могу, но в любом случае мы вам позвоним завтра к вечеру.

— И что, господин Шерман будет на этой съемке?

— Если она состоится, то обязательно! А как же!

— Было бы очень интересно познакомиться с ним лично! Несмотря на его сексизм! — в голосе вдовы прозвучали игривые нотки. — Но я никогда не слышала, что у него есть русские корни!

— Ах, Кристина, у кого их только нет!

— Что верно, то верно!

Сандра с Ниной пересаживали цветы. Сандра не очень-то в этом разбиралась, но Нина сказала, что сейчас самое время. Они вместе съездили в магазин и закупили все необходимое. Нина уверенной рукой вытаскивала растения из старых горшков, осматривала корни, иногда укоризненно качала головой, но делала все на редкость умело.

— С ума сойти! — восхищалась Сандра. — А я вот боюсь их трогать... Как мне повезло!

— Это мне повезло! Я как в сказку попала! Никто не шпыняет, не дергает, не хамит...

В этот момент у Нины зазвонил телефон. Она в испуге глянула на дисплей.

— Кристина звонит! Ой, я боюсь!

— Тебе совершенно нечего бояться! Ответь!

— Я слушаю!

— Включи громкую связь! — шепнула Сандра.

— Алло! Ниночка! Прости меня, дорогая! Я была не в себе! Наговорила тебе черт-те чего, выгнала, паспорт отобрала... Пожалуйста, прости меня! И не держи зла! Ты же знаешь, какое у меня горе... И там еще всякие неприятности наложились... Ты же добрый хороший человек, ты меня простишь! Возвращайся, Ниночка! Без тебя в доме как-то пусто стало...

— Нет, Кристина Платоновна, я уже нашла хорошее место.

— Что ж поделать, я сама виновата, но паспорт-то тебе нужен, правда?

— Нужен, конечно!

— Тогда приезжай за ним. И тебя тут ждет вообще невероятный сюрприз!

— Какой сюрприз? — испугалась и без того ошеломленная Нина.

— Ты в курсе, что у тебя есть двоюродный брат в Америке?

— В Америке? — переспросила обалдевшая вконец Нина.

— Скажи «да»! — шепнула ей кое-что смекнувшая Сандра.

— Ну... да... вроде был...

— А ты в курсе, кто он такой?

— Нет! Я не знаю...

— Он знаменитый американский артист! И послезавтра утром он приедет сюда, чтобы встретиться с тобой! Как тебе такая новость?

— Я в шоке! Быть не может!

— Может, может! Так что приезжай послезавтра к восьми утра. Я отдам тебе паспорт, мы с тобой подберем платье покрасивее.

— Какое платье?

— Ну, из моих... Надо ж тебе выглядеть презентабельно, это будут снимать для телевидения. Все увидят тебя с твоим братом... Ну что, приедешь?

— Приеду... паспорт же...

— Ох, какая ты... паспорт ерунда, а вот такой брат... Короче, я тебя жду!

— Да, спасибо!

Нина отложила телефон и умоляюще взглянула на Сандру.

— Александрина Юрьевна, вы что-нибудь поняли?

— Похоже, я все поняла!

— Ну, что у нее будут какие-то съемки и она боится, как бы не выяснилось... Это я и сама смекаю, но насчет двоюродного брата из Америки... Ерунда какая-то!

— Паспорт она вернуть обещала?

— Ну да.

— А все остальное это... розыгрыш.

— Кто кого разыгрывает?

— Ее разыграли. И я точно знаю, кто!

— Вы думаете... Тимур Сергеевич?

— Конечно! Но только... это гадко.

— Что гадко?

— Так разыгрывать женщину, у которой недавно умер муж!

— Да ладно вам, Александрина Юрьевна! — вдруг горячо запротестовала Нина. — А женщине, у которой недавно умер муж, не гадко устраивать подлянку простой прислуге, выгонять из дому, забирать паспорт, а как посулили ей очередную съемку, прыгать перед этой прислугой на задних лапках, а? Это вам как?

— Да... все верно...

— Знаете, он очень умный, ваш Тимур Сергеевич. Он ведь ее знает только с моих слов, а как точно все просчитал... Только вот зачем приплел какого-то американского двоюродного брата...

— Ну, это как раз понятно! Роберт Шерман очень близкий друг Тимура, он сейчас в Москве... Я думаю, Тимур просто решил, предъявить Роберта... этой даме для пущей убедительности...

— А там еще что-то про тест ДНК она плела?

— Не бери в голову! Ерунда это, никто никаких тестов делать не будет.

И тут позвонил Тимур.

— Привет! Вам еще не звонила вдова с покаянными речами?

— Звонила, а как же! А тебе не кажется, что все это дурно пахнет! — все-таки накинулась на него Сандра.

— Так я и знал! Ты что, ее жалеешь? Да она за появление на экране жизнь отдаст! Но не паспорт!

— То есть?

— Обрати внимание, что ей важнее всего заманить Нину в дом, чтобы та участвовала в этом шоу...

— Но шоу ведь не будет!

— Посмотрим! Но в качестве компенсации Роберта я туда все-таки отвезу. При нас она не посмеет не отдать паспорт, а заодно еще и чемодан, о котором вы все позабыли почему-то! Я с ней поговорил, она редкая гадина, лживая, фальшивая насквозь...

— Но очень красивая!

— И что? Для меня нет женщины красивее, чем одна рыжая бабенка со скверным характером и неуемной страстью к сугробам и мороженому.

— А что Роберт, он согласился на эту авантюру, или ты действовал втемную?

— Никогда бы не позволил себе действовать втемную с близкими друзьями.

— Так! Не иначе и Веньку в это впрягли?

— А как же! Для пущей достоверности, — радостно засмеялся Тимур. — Венька будет человеком с камерой.

— То есть вы-таки намереваетесь снять что-то?

— Конечно! Ну, а уж почему программа не выйдет в эфир, поди потом разберись... Допустим, тест ДНК покажет, что никакие они не родственники...

— И все-таки вы сволочи! И козлы!

— Ну так все мужики козлы! Тоже мне новость! Имей в виду, после съемок шоу мы все втроем приедем к тебе! И Нину привезем, с паспортом и чемоданом.

— Ну что с вами делать!

Она положила трубку.

— Александрина Юрьевна, не надо ее жалеть! Знаете, как Вероничка ее умоляла не отсылать в Испанию? Как хотела попрощаться с

отцом? Ни в какую! У ней любовник — нота-
риус покойного Романа Евгеньевича. Ей всего
важней, что ей в наследство обломится... Она
мужа-то не любила... Стариком считала... А он
ее вроде раньше любил... Только в последнее
время они стали частенько ссориться. Не стоит
она вашей жалости.

— Да дело не в жалости... Черт с ней, с этой
бабой. Дело в том, что мужчины позволяют себе
жестоко разыгрывать вдову...

— Да где жестоко? Кому она такая сдалась?
Но ваш Тимур Сергеевич... он добрый и спра-
ведливый, рассудил, кто тут... чего стоит.

— Ну что, Сандра, конечно, упрекнула нас в
непорядочности? — со смехом спросил Вениамин.

— О да!

— Знаешь, Тим, я сначала тоже как-то усо-
мнился... Но потом Вениамин перевел мне, что
о ней пишут в Интернете... И потом, мы же,
собственно, ничего ей не обещаем, кроме съемок
в ее доме... Речь не идет ни о деньгах, ни о не-
движимости... Ни о чем таком... Если бы она не
поступила так гнусно с этой бедной девушкой
вскоре после похорон мужа... Таких надо учить!

— Надо! Но я не уверен, что урок пойдет на пользу.

— Еще как пойдет! На пользу Нине! — заметил Вениамин. — А если ты, Тимка, собираешься жениться на Сандре, должен знать, что она женщина с принципами и иной раз может так этими принципами заколебать...

— Я уж понял! Она и замуж из принципа не хочет. Давай так жить... А мне, честно говоря, без разницы, лишь бы с ней. А принципы и у меня тоже есть! Еще сколько!

— О! Тогда вы не соскучитесь! — рассмеялся Вениамин.

— Я еще совсем мало знаю твою Сандру, — подал голос Роберт, — но сдается мне, что вы на редкость гармоничная пара.

Нина всю ночь ворочалась в постели, волновалась до тошноты. Как там все будет... И вернет ли эта... ее паспорт. Все остальное волновало ее как-то слабо. Что там за двоюродного брата придумал ей Тимур Сергеевич... А вдруг эта стерва раскусит, что все это розыгрыш и вызовет полицию, и тогда уж точно во всем обвинят меня. И еще, чего доброго, ославят на всю страну...

В половине шестого она вскочила. Выглянула из комнаты.

— Проснулась? — спросила Александрина Юрьевна. — А я уж собиралась тебя будить! Давай, приведи себя в порядок и приходи на кухню. Я тебя отвезу!

— Ой, да что вы, Александрина Юрьевна! Я сама доберусь!

— Нет уж, я должна быть уверена, что ты добралась до места целая и невредимая!

— Да вы что! Или... вы думаете... что она может...

— Похоже, она многое может. Я вчера почитала в Интернете... Неудивительно, что Сутырин так рано умер... Даже странно, он очень умный был, как мог на такой жениться...

Сандра быстро собрала что-то на стол. Но при виде Нины огорченно заметила:

— Нет, так не годится! У тебя же красивые волосы, что ты с ними сделала! И кофту эту снимай, не годится! Давай, хорошенько расчеши волосы, а я что-нибудь подыщу! Джинсы можешь оставить.

Когда через пять минут Сандра вернулась, держа в руках черный джемпер и изящный черно-белый шарф, Нина стояла у зеркала в ванной и старательно расчесывала роскошные каштановые волосы, которые сейчас блестели и волнами ложились на плечи.

— Ну, совсем другое дело! Давай-ка, прикинь!

Девушка послушно натянула джемпер. Сандра повязала ей на шею шарф причудливым японским узлом.

— О, как здорово! Я так не умею! Научите?

— Без проблем! Ты такая хорошенькая сейчас!

— Кристина не разрешала распускать волосы.

— Нам больше нет дела до Кристины! Сегодня твоя последняя встреча с ней. Пей кофе, и съешь что-нибудь.

— Спасибо, не хочется.

— Нет, так не пойдет! Съешь хотя бы бутерброд.

— Господи, Александрина Юрьевна! Я даже не знаю... Вы столько для меня делаете...

— Так! Только без слез! Зареванная физиономия нам ни к чему! Ладно, составь посуду в посудомойку, а я пойду машину из гаража выведу. И приходи, поедем! Как дверь закрыть, ты уже знаешь! И принеси ключи.

Без двадцати восемь Сандра подъехала к пропускному пункту элитного подмосковного поселка.

— Все, ступай с богом! Обратно тебя привезет Тимур. Ну, ни пуха, ни пера!

— К черту, — робко пробормотала Нина и вылезла из машины.

Сандра сразу уехала. Ей было неспокойно. Хотя чего я волнуюсь? Все трое мужчин — люди умные, опытные. Они уж сумеют... Но только они все честные и порядочные, а эта баба — пробы ставить негде... И что, они втроем не раскусят ее, если она готовит им какую-то подставу? Ерунда!

И она поехала домой.

Дома первым делом поднялась в мастерскую, покормить попугая.

— Здравствуй, мой хороший! Тимурчик! Вот, попей водички, поклюй зернышки, а потом виноградинку дам!

В этот момент раздался звонок. Звонили у калитки. Сандра глянула в видеоустройство. Какой-то мужчина.

— Кто там? — спросила она.

— Госпожа Ковальская! Это ваш сосед, Валентин Туманов!

Валентин Туманов был очень известным кинорежиссером.

— Открываю!

И она побежала вниз.

Открыла входную дверь.

— Добрый день, соседушка! Будем знакомы!

— Да, прошу вас, заходите!

— Ох, красиво у вас! Сразу видно, художница живет. Видел ваши работы! Впечатлен! Но я к вам по делу, простите, не знаю вашего отчества, Александрина...

— Юрьевна!

— Очень приятно! А я Валентин Борисович! Вот и познакомились.

— Может быть, хотите кофе?

— Да нет, благодарю, пил уже.

— Ну, может, чаю...

— Да нет, ничего не нужно! Я поговорить...

— Слушаю вас, Валентин Борисович!

— Голубушка, скажите, это правда, что у вас бывает Роберт Шерман?

— Ну да, был раза два-три... А в чем дело?

— Простите за нескромный вопрос... Вас с ним что-то связывает?

— Меня лично? Ничего! Но он близкий друг... моего близкого друга.

— А как бы мне с ним связаться? Я в курсе, что о нем сейчас снимают документальный фильм, мог бы, в сущности, обратиться туда... Но, знаете ли, не хотелось бы. Хотелось бы сперва поговорить с самим Шерманом. Я хочу...

предложить ему роль... в сущности, главную роль в своем новом проекте. Но пока я не хотел бы заявлять об этом во всеуслышание. А то мало ли, пойдут всякие разговоры, сплетни... Ни к чему это, пока не переговорю с ним самим. Вы не в курсе, у него в России есть агент?

— По-моему пока нет, но, в принципе, я думаю, он согласится, если...

— Понятно, если его устроят мои условия.

— Ну и это тоже, — улыбнулась Сандра. — Но я хотела сказать — если ему понравится роль.

— Знаете, голубушка, я и мечтать не мог снимать Роберта Шермана, и вдруг невестка мне говорит, что видела его у вас на участке. Я и размечтался... Но как его найти?

— Знаете, без разрешения давать его координаты кому бы то ни было я не могу, но он должен приехать сегодня. Думаю, если вы заглянете часа в четыре, он будет здесь.

— О! Буду безмерно вам благодарен, если вы позвоните мне!

С этими словами он протянул Сандре свою визитку.

— Непременно!

— И можно еще вопрос?

— Пожалуйста!

— Ему вообще нравится в России?

— Он в полном восторге!

— Замечательно! Засим и откланиваюсь!

Ему было от силы лет сорок пять, но манера выражаться была старомодной, что было обусловлено тем, что его отец, знаменитый питерский театральный режиссер, происходил из дворян, и, видимо, сын перенял у отца манеру выражаться, что Сандре очень понравилось. Вот было бы здорово, если бы он снял Роберта... Тому очень нужна работа... Если, конечно, эта троица авантюристов не загремит в полицию. Прошло еще два часа. Сандра уже не находила себе места. И вдруг пришла эсэмэска от Тимура: «Едем! Ура!»

Сандра вздохнула с облегчением. Ну слава богу!

Наконец, они ввалились в дом, веселые, довольные, у всех улыбки до ушей. А вот Нина была, наоборот, притихшая, словно испуганная. Впрочем, это и не удивительно.

— Сандра, корми нас! — крикнул Вениамин. — Мы заслужили хороший обед! Ниночке дали вольную! Эта светская идиотка во все поверила, Роберт играл поистине гениально...

Тимур отвел Сандру в сторонку, обнял, поцеловал.

— Ты на меня сердишься, рыжая?

— Уже нет! Я соскучилась и ужасно волновалась.

— Ну и зря! Все прошло как по нотам.

— Скажи, это твоя идея была?

— Сознаюсь, моя! Но парни меня поддержали. Да, знаешь, мне показалось, что...

— Что тебе показалось?

— Что Бобби с первого взгляда запал на Нину! Она и вправду такая хорошенькая и милая... Но, может, мне показалось. Ты приглядись, женщины в таких вещах куда больше смыслят. А вообще-то было бы здорово... Бобби сейчас в самый раз влюбиться в такую девушку... скромную, неизбалованную...

— Не то, что я, с вывертами...

— Дура ты, рыжая, совсем дура! Просто я счастлив, а я читал где-то, что счастливому человеку охота осчастливить всех вокруг.

— Ты, значит, счастлив, Черныш?

— А ты нет?

— Знаешь, я отвечу тебе на этот вопрос, когда напишу твой портрет.

— Похоже на шантаж!

— Понимай как знаешь!

— Я так понимаю — что без памяти люблю рыжую шантажистку со всеми ее вывертами.

— Погоди, Черныш, я должна тебе еще кое-что сказать... Тут к Роберту приходил режиссер Туманов...

И Сандра передала ему разговор с соседом.

— А он... хороший режиссер?

— Считается очень хорошим. Ты глянь в Интернете. И сам скажи Роберту, для меня говорить по-английски среднее удовольствие.

— Да уж скажу.

Стол накрыли в столовой, Нина старалась помочь чем только можно, а потом шепотом попросила:

— Ой, а можно я не буду садиться за стол?

— Нет, нельзя! — отрезала Сандра. — Чего ты так стесняешься?

— Ну, непривычная я, неудобно мне, кусок в горло не лезет. Одно дело, когда мы с вами, а тут...

— Нин, а скажи, тебе Роберт нравится?

— Ну... Очень! Очень! Только как с ним разговаривать?

— А ты совсем английский не учила?

— Да нет... в школе немецкий был...

— Понятно. А он, по-моему, глаз на тебя положил.

— Ой, да что вы, Александрина Юрьевна, смешно просто...

— Ладно, если не хочешь со всеми за стол, не нужно, но ты привыкнешь!

— Ох, не знаю...

Тимур сказал Роберту о визите Туманова.

— Это супер! — воскликнул Вениамин. — Он классный режиссер! С традициями, обожает артистов, и дрянь какую-нибудь не предложит. Соглашайся, Боб!

— Но мне же надо хоть представлять себе, что это за роль... — растерянно улыбался Роберт и явно искал кого-то глазами.

А когда вошла Нина и принялась убирать со стола, он так и пожирал ее взглядом. А она, чувствуя это, заливалась краской. И опускала глаза.

Сандра позвонила Туманову. Тот вскоре явился, заговорил с Робертом на безупречном английском, и они уединились в соседней комнате. Вениамин уехал, обещал матери вернуться пораньше.

— Тимка, ты прав, — сказала вдруг Сандра.

— Ты впервые назвала меня Тимкой... Как приятно! Но в чем я прав? — зачарованно глядя в лицо любимой женщины спросил Тимур.

— Роберт и вправду положил глаз на Нину!

— Но как им объясняться?

— Думаю, через месяц-другой самое важное они уже смогут сказать... Просто им сейчас обоим необходимо какое-то такое чувство... Когда слова в общем-то могут все только испортить...

— Господи, неужели ты у меня есть?

— Кажется, да... — улыбнулась Сандра и погладила его по щеке. — А если Роберт начнет еще сниматься...

— Знаешь, мы с Венькой решили открыть в Москве актерское агентство, и Боб будет нашим первым клиентом. Можешь представить себе, какая для нас реклама!

— Но что ты в этом смыслишь?

— Я одно время, в самом начале, работал в актерском агентстве в Нью-Йорке... Кое-какие представления есть, а я вообще парень сообразительный... И вот еще что: завтра мы едем на дачу к отцу, я хочу познакомить тебя с ним. И это не дискутируется!

— Вон даже как, не дискутируется! Но я и не думала дискутировать.

А еще через час появились и Роберт с Тумановым. Судя по выражению их лиц, оба были чрезвычайно довольны.

— Ну что? — спросил Тимур, когда Туманов ушел.

— Роль — фантастическая! Я, наверное, соглашусь, Тим! К тому же и выбора у меня нет, собственно говоря! Спасибо, спасибо тебе, Тим! И еще — тут можно найти хорошего преподавателя русского языка? Мне нужно... очень!

— А я найду Нине преподавателя английского по скайпу, — лукаво заметила Сандра, а голливудская звезда Роберт Шерман вдруг покраснел.

На следующий день Тимур и Сандра отправились на дачу, знакомиться с Сергеем Сергеевичем.

— О! Какая красивая женщина! Такое впечатление, что вы созданы друг для друга! — воскликнул Сергей Сергеевич, церемонно целуя руку Сандры. — Милости прошу! Спасибо вам, дорогая Александрина, за то, что сын вернулся в родные пенаты. Вы же наверняка знаете нашу с ним историю... И то, что он позвонил мне, услыхав разговор с вами вашего сына... Это просто чудо! Тимка, ты покажи Александрине наш дом, и скоро будем обедать...

— Да, пошли, покажу тебе свою комнату.

Они поднялись наверх, а Сергей Сергеевич заглянул на кухню.

— Авдотья Семеновна, ну как она вам?

— Ну, видная такая, справная, могла бы быть помоложе, но ничего, годится!

— Вот, Рыжая, это моя обитель... Я перевез сюда только самое необходимое. Куда ты смотришь?

— Откуда это у тебя? — ошеломленно спросила Сандра, тыкая пальцем в маленький пейзаж со снегирями и калиной.

— Когда-то купил в Париже в какой-то лавчонке.

— Но... это моя картина! Игорь же продавал мои первые картинки, когда ездил за границу. Невероятно!

— Я обожаю этот пейзаж! Значит, Рыжая, я давным-давно уже тебя выбрал...

— Выходит, это судьба. А против судьбы не попрешь.

Литературно-художественное издание

16+

Екатерина Николаевна Вильмонт

ДАМА ИЗ СУГРОБА

Редакционно-издательская группа
«Жанровая литература»
Зав. группой М.С. Сергеева

Ответственный редактор Н.П. Ткачева
Корректор Е.Н. Ходасевич

Подписано в печать 25.06.18 г.
Формат 84×108 $^1/_{32}$. Усл. печ. л. 16,8.
С.: Романы Екатерины Вильмонт Тираж 25 000 экз. Заказ № 6073.
С.: Бестселлеры Екатерины Вильмонт Тираж 55 000 экз. Заказ № 6076.

ООО «Издательство АСТ»
129085, г. Москва, Звездный бульвар, д. 21, строение 1, комната 39

«Баспа Аста» деген ООО
129085, г. Мәскеу, жұлдызды гүлзар, д. 21, 1 құрылым, 39 бөлме
Біздің электрондық мекенжайымыз: www.ast.ru
E-mail: zhanry@ast.ru

Интернет-магазин: www.book24.kz
Интернет-дүкен: www.book24.kz
Импортёр в Республику Казахстан ТОО «РДЦ-Алматы».
Қазақстан Республикасындағы импорттаушы «РДЦ-Алматы» ЖШС.
Дистрибьютор и представитель по приему претензий на продукцию в Республике Казахстан:
ТОО «РДЦ-Алматы»
Қазақстан Республикасында дистрибьютор
және өнім бойынша арыз-талаптарды қабылдаушының
өкілі «РДЦ-Алматы» ЖШС, Алматы қ., Домбровский көш., 3»а», литер Б, офис 1.
Тел.: 8(727) 2 51 59 89,90,91,92
Факс: 8 (727) 251 58 12, вн. 107; E-mail: RDC-Almaty@eksmo.kz
Өнімнің жарамдылық мерзімі шектелмеген.

Өндірген мемлекет: Ресей
Сертификация қарастырылмаған

Отпечатано с готовых файлов заказчика
в АО «Первая Образцовая типография»,
филиал «УЛЬЯНОВСКИЙ ДОМ ПЕЧАТИ»
432980, г. Ульяновск, ул. Гончарова, 14

INTERNATIONAL BOOKS
7513 Santa Monica Blvd.
West Hollywood, CA 90046